# PILATES
## STARTER (MAT)

The Pilates Method of Body Conditioning is goining
the mastery of your mind over the complete control over
your body.


신체를 단련하는 필라테스 메소드는
몸을 완벽히 컨트롤하는 것을 통해 마음까지 지배하도록 해준다.

# PILATES
## STARTER (MAT)

# 필라테스 스타터 오수진 지음

The Pilates Method of Body Conditioning
is goining the mastery of your mind over
the complete control over your body.

신체를 단련하는 필라테스 메소드는 몸을 완벽히
컨트롤하는 것을 통해 마음까지 지배하도록 해준다.

솔과학

## 목차

# BASIC (초급)

# INTERMEDIATE (중급)

# ADVANCE (고급)

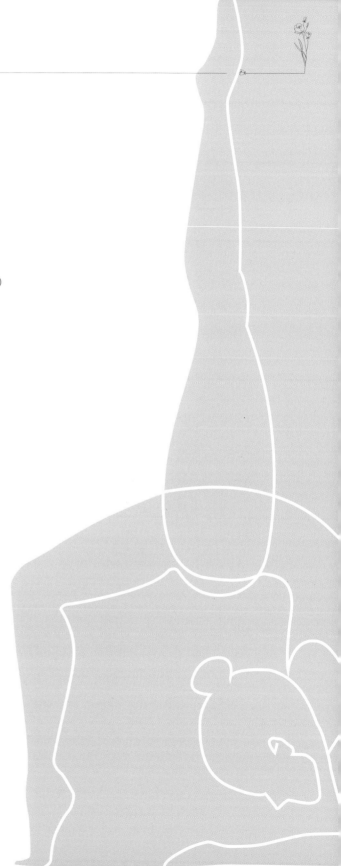

# intro

## 필라테스란 무엇인가? What is pilates

필라테스는 매트 기반의 운동 형태로 안정화된 근육을 사용하여 움직이고 힘과 유연성을 기를 수 있는 반복적인 운동 시스템이다.

머리부터 발끝까지 신체를 정렬하고 안정화를 만들기 위해 신체의 다양한 부분을 작동시키는 운동을 한다.

몸의 중심이라는 센터로부터 움직이는 방법을 배운다.

가장 깊은 복부 근육과 결합하는 것은 완벽한 움직임을 위한 기초를 형성하고 골반, 허리, 둔근 등 몸통 안정화 근육을 강하게 단련시킨다.

센터강화를 통한 안정성은 일상 생활에서 신체가 어떻게 움직이는지를 결정하는 중요한 부분이기에 필라테스에서도 가장 중요한 부분이고 필라테스만의 차별화된 방식이다.

올바른 자세 없이는 코어 근육을 쓸 수 없기에 자세교정의 역할을 하는 운동이다.

이 부분은 많은 사람들이 허리 통증에서 벗어날 수 있는 방법을 말해 주기도 한다.

중립 자세에서 팔 다리를 움직이며 조절하는 것에 대한 도전이기도 하고 중심 수축을 유지하고 척추를 중립 자세로 유지하도록 한다.

또한 근육이 함께 작용하여 다양한 움직임을 균형 있게 만들 수 있다.

계속해서 움직이지만 이것을 컨트롤하면서 조절할 수 있어야 한다.

효율적인 움직임으로 중심에서부터 몸은 강하고 유연해야 한다.

필라테스는 코어 강도, 유연성 및 골격 정렬을 강조하는 운동 시스템의 자연스러운 결과인 평평한 복부 근육을 만들어주고 핵심 근육은 복부와 등의 깊은 내부 근육이다.

　　편심 수축이라고 불리는 근육 수축 유형을 활용하여 길고 강한 근육을 만든다.

　　유연성 코어 파워 근육 참여를 통해 필라테스 운동은 힘을 키우고 유연성을 향상시켜 운동 범위를 증가시킨다.

　　기능성 핵심 근육이 강하고 안정적일 때 그들은 몸통의 표면 근육과 함께 작동하여 다양한 기능적이고 우아한 움직임을 통해 척추를 지지한다. 이것은 몸이 자유롭고 효율적으로 움직일 수 있도록 척추의 압력을 완화할 수 있다.

　　안정성 척추가 코어에 의해 지지될 때 뼈는 신체의 안정성을 촉진하기 위해 이상적인 정렬로 이동할 수 있다.

　　필라테스 운동은 균형과 자세를 개선하기 위해 관절을 둘러싼 근육을 발달시킨다.

## 조절학, 움직임을 통한 신체 단련 운동

조셉 필라테스가 만든 메소드로 최초의 이름은 컨트롤로지(Contrology)였다. 필라테스는 육체와 정신을 훈련시키는 운동법으로 체력, 유연성과 조화를 증진시킬 뿐만 아니라 스트레스를 감소시키고, 집중력을 높여주는 모두를 위한 운동이다.

조셉 필라테스는 특별히 자신의 운동법에 대한 원리나 방법에 대해서 정확하게 적어놓지는 않았지만 'Your Health', 'Return to life through contrology' 이렇게 두 권의 책을 남겼다.

필라테스의 여러 협회에 따라 원리의 목록과 표현방식이 약간은 다를 수 있지만 우리가 추구하는 건강을 위한 운동법이라는 점은 같다.

조셉은 34개의 매트 동작을 책으로 남겼다. 현재 필라테스 오더는 동작이름과 시퀀스가 조금 다르다. 조셉의 대표적인 제자 로마나의 필라테스와 제임 그라임의 빈티지 필라테스는 차이가 있다.

조셉에게 배웠지만 신체특성에 따라 상황 추구하고자 하는 방향이 다르기 때문에 조금씩 다르게 느껴졌을 수 있다.

이렇게 필라테스 방법은 전통적으로 일대일 레슨으로 같은 동작을 하더라도 개별의 상태에 따라 달라질 수 있다.

그렇게 때문에 자신의 신체 특성과 운동수준에 따라 프로그램을 단계별로 만들어 할 수 있다.

이 개별성의 단점으로는 불필요하게 너무 많은 동작들이 생겨나며 필라테스 운동이라는 목적에서 점점 멀어져 가고 있다.

21세기에 많은 운동법이 생겨나는데도 필라테스라는 메소드에 열광하는 이유는 정확한 필라테스를 배웠을 때 느낄 수 있고 정신과 신체를 올바르게 단련함으로써 삶의 질이 높아지고 불필요한 고통속에서 자유로울 수 있다는 점을 스스로 알 수 있기 때문이다.

## 신체와 정신의 균형

'정신이 절대적으로 신체를 지배한다'라고 어떤 사람들은 말한다.

또 반대로 '신체가 절대적으로 정신을 지배한다'라고 말한다.

조셉은 이것이 올바른 해결책이 아니고, 신체와 정신은 함께 정상적으로 발달해야 한다고 말했다.

정신과 신체의 완벽한 조화를 만들기 위해 정확하게 알고 노력해야 안전하게 건강해질 수 있다.

신체의 모든 근육 운동을 의식적으로 조절하고 해부학적 이론에 올바르게 활용하고 적용해야 한다.

컨트롤로지의 시스템은 잘못된 습관과 질병들을 신체의 고통을 줄여 줄 수 있다고 말한다.

이 시스템을 올바르게 습득하려면 올바른 교육을 받아야 한다.

우리가 자신을 소홀히 하면 신체적, 정신적 효율성이 점점 파괴되어 갈 것이며 우리는 정신적 발달과 함께 신체적 발달을 시켜야 한다.

한 쪽을 위해 한 쪽을 희생해서는 안 되고, 그렇지 않으면 몸과 마음의 균형을 얻기 어려울 것이다.

## 필라테스의 6가지 원리 Six Principles

### 1. Breathing(호흡)

호흡은 정신과 육체 사이의 필수적인 연결고리이며, 우리가 태어나서 죽을 때까지 하는 자연스러운 활동이다. 호흡은 단순히 마시고 내쉬는 것만이 아니라 호흡을 통해 긴장을 이완시키고 우리 몸을 효율적으로 만들고 에너지를 채워주고 신체를 더욱 건강하게 만들어 준다. 또한 정확한 호흡패턴을 통해 파워하우스를 강화시키고 몸의 협응력을 길러준다.

필라테스 운동에서는 정해진 호흡패턴을 사용한다.

필라테스에서 가장 강조된 원리로 호흡은 동작을 집중, 강화시키고 자연스러운 움직임을 만들어준다 그렇기에 정확하게 호흡하는 방법을 배우는 것이 가장 중요하다.

### 2. Concentration(집중)

집중은 정신과 신체를 연결시켜 주는 필수조건이다. 하나의 목적에 기울이는 주의의 방향이라고 정의하는데 우리의 목적은 필라테스 운동의 터득이다.

자신의 운동능력에 맞게 정확하게 집중하며 움직임을 하는 것이 운동의 효과를 극대화시켜줄 수 있다.

### 3. Center(중심)

몸의 중심은 여러 가지 의미를 가질 수 있다. 몸의 중심부의 근육을 말할 수도 있고 무게 중심, 균형중심이라 할 수도 있다.

운동에서의 무게중심은 한 곳에 머무르지 않고 동작에 따라 끊임 없이 변화한다.

필라테스에서는 함축적 의미로 파워하우스라고 부르며 코어와 몸과 마음에 집중하는 것을 말한다.

필라테서에서 모든 움직임은 중심에서 바깥쪽으로 퍼지며, 중심화를 통해 동작과 동작의 연결이 잘 유지 될 수 있다.

## 4. Control(조절)

우리의 몸은 온전히 정신에 의해 조절된다는 것을 명심해야 한다.

정확하고 올바른 자세는 몸의 모든 매커니즘이 완벽하게 조절될 때 성공적으로 얻어진다.

필라테스는 원래 Contrology라고 불렀을 정도로 몸과 마음의 조절을 중요하게 생각했다.

정교한 조절은 많은 반복운동을 통해 학습되고 이 과정에서 주요 근육과 유연성이 향상되고 여러 가지 운동능력을 끌어올릴 수 있다.

## 5. Precision(정확성)

필수적으로 꼭 알아야 하는 원리로 운동하는 동안 신체의 정확한 위치, 힘의 방향, 정렬, 어느 근육의 작용으로 움직여야 하는지를 말한다.

한번의 정확하고 완벽한 움직임이 의미없는 반복적인 움직임보다 효과적이다.

## 6. Flow(흐름)

움직임의 연속성으로 동작이 부드럽고 중단되지 않는 것을 말한다. 필라테스의 제자인 로마나는 '강한 중심부에서 바깥쪽으로 흐르는 동작'이라고 설명했다.

이러한 흐름을 이루려면 움직임을 이해하고 근육을 활성화시키며 정확한 타이밍을 알아야 한다.

반복적인 운동을 통해 부드러운 흐름을 만들어야 한다.


필라테스 원칙은 모든 필라테스 운동에 적용된다.

기능적 운동패턴을 연습함으로써 근육은 고르게 발달되어 길고 강한 신체를 만들어 준다. 또한 날씬해진다.

맨몸운동이 기반이 되기에 많은 사람들이 필라테스를 언제 어디서든 할 수 있다.

반복적인 운동을 통해 균형 잡힌 근육 발달과 조화로운 신체를 만들고 효율적으로 움직일 수 있도록 해준다.

불균형한 신체는 근육이 없어지고 관절의 가동범위를 점점 줄어들게 할 것이고 움직이는 것을 방해하는 신체의 보상을 만들어낼 것이다.

필라테스는 양보다 질을 우선시한다.

다른 운동 시스템과 달리 필라테스 운동은 각 움직임에 대해 많은 반복을 포함하지 않는다. 각 운동을 정밀하게 수행하고 호흡에 집중함으로써 더 짧은 시간에 중요한 결과를 얻을 수 있다는 것이다.

"Above all, learn how to breathe correctly."
"무엇보다도, 호흡을 정확히 하는 것을 익혀라."

"Breathing is first act of Life, and the last."
"호흡이란 인생의 첫 번째 행동이고, 그리고 마지막 행동이다."

## 호흡은 삶의 첫 번째 활동이자 마지막 활동이다

호흡은 인간이 살아가는 데 가장 중요한 필수 요소이다.

오래된 공기의 폐를 비우고 신선한 산소가 들어 올 수 있도록 숨을 들이마시고 내쉬는 것을 의미한다.

개선된 호흡과 순환은 신체가 안팎으로 최적으로 기능할 수 있게 해준다.

말하는 호흡은 산소를 공급하고 혈액 속의 이산화탄소를 제거하는 것뿐만이 아니라 끊임없는 호흡과 흐름 속에서 자율신경을 조절하고 의식을 조절하는 것이다.

올바른 호흡을 통해 우리 몸 안쪽에 깊이 있는 심부근육을 더 단단히 만들 수 있다. 그렇게 되면 우리 몸통을 안정화시키고 척추를 바르게 지지하여 바른 자세를 만들 수 있다.

숨을 들이쉴 때는 가득 흡입해야 한다. 숨이 한가득 하면 그릇이 커진다. 그릇이 커지면 숨이 길어진다. 길어지면 아래로 내려갈 수 있다. 아래로 내려가면 차분히 안정된다. 안정되면 강하고 단단해진다. 강하고 단단하면 발아한다.

발아하면 자란다. 자라면 위로 물러난다. 의로 물러나면 정수리에 이른다. 하늘의 은밀한 힘은 위로 움직이고, 땅의 은밀한 힘은 아래로 움직인다.


이를 따르는 자는 살고, 반하는 자는 죽을 것이다!

– 주나라 석조 비문, 기원전 500년

## 필라테스 호흡 Pilates Breathing

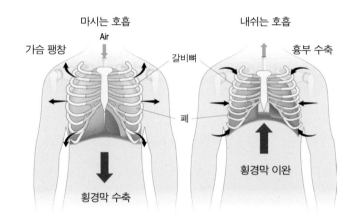흉곽 측면 호흡 Rib Cage lateral breathing

횡경막, 늑간극, 복횡근, 골반기저근 등의 근육을 강화시켜 준다.

마시는 호흡
Air
가슴 팽창
갈비뼈
폐
횡경막 수축

내쉬는 호흡
흉부 수축
횡경막 이완

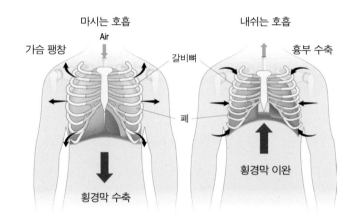

INHALE 코로 숨을 마시면서
갈비뼈를 양옆으로 확장시킨다.

EXHALE 입으로 길게 내쉬면서 배꼽을
척추에 붙여준다 생각하며 갈비뼈를 닫아준다.

들숨과 날숨에서 모두 심부 복근을 안쪽으로 당긴 상태를 유지하면서 흉
곽의 측면 확장을 강조한다.

측면호흡을 하는 이유는 복근의 수축을 유지하도록 하여 몸의 중심부를 안정되게 유지하는 것이다.

썬클링 흉곽 조이기

- IN 양손으로 썬클링을 잡고 호흡을 마시며 몸통이 커진다.
- EX 숨을 내쉬며 흉곽이 닫힌 만큼 링을 닫아준다.
  – 팔의 힘으로 링을 누르지 않고 등과 복부의 힘을 이용하여 움직인다.

## 중립 척추는 무엇을 의미할까?

몸이 저리거나 뾰족한 신경 통증이 있다면
정상적인 상태가 아니라는 것이다.

보통 사람들은 거의 대부분 몸이 틀어져 있다. 그렇게 때문에 통증과 불편함에 힘들어한다. 이 부분을 해결하기 위해서 마사지를 받거나 병원에 간다. 조셉은 오히려 전문가들이 이론적으로는 알고 있지만 움직이지 않기 때문에 불편함에 시달리고 일반사람들 보다 더 수명이 단축된다고 했다.

우리가 할 수 있는 것은 무엇일까?

이미 몸에서 어딘가 불편하거나 통증이 있다면 잘못 됐다는 신호이다. 결리거나 통증이 있다는 것은 원래 위치에 있어야 할 근육이나 뼈의 모양이 정상 범위에 있지 않음을 뜻한다.

우리는 이것을 해결하기 위해 마사지를 받거나 병원에 갈수 있지만 근본적으로 해결할 수 없다. 본인 스스로 노력하지 않으면 다시 원래 상태로 돌아가고 통증이 반복된다. 이 통증의 고통에서 벗어나려면 평소의 잘못된 생활습관과 걷는 보행패턴을 교정해야 한다.

신체 균형이 무너지기 시작하면 온갖 증상들이 순차적으로 나타나게 된다.

| 뉴트럴 | 전방경사 | 후방경사 |
| --- | --- | --- |
| 귀, 어깨, 골반, 무릎, 발목 일직선상에 있다. | 허리가 과도하게 커브가 있다. | 머리가 앞으로 나오고 등이 굽어 있다. |

• 척추의 바른 정렬은 좋은 자세를 유지시켜 준다.

그 중에서도 특히 몸의 중심이 있는 골반의 위치가 중요하다. 이 골반의 가장 이상적인 상태인 척추 골반 중립 상태인 뉴트럴 포지션을 유지할 수 있는 좋은 운동이 필라테스이다.

## 필라테스 박스

신체의 올바른 정렬의 핵심으로 팔다리를 제외한 몸통의 사각형 모양을 박스라 한다.

각 동작을 할 때 한쪽으로 기울이거나 회전되고 있지 않은지 내가 몸통박스를 잘 유지하고 있는지를 확인해야 한다.

## 코어-파워 하우스 Core-Power houes

우리 몸의 중심을 뜻하며 움직임이 시작되는 부분이다. 골반 주변을 둘러쌓고 있는 근육을 강화 시키고 척추를 보호 할 수 있는 힘을 우리는 파워 하우스 또는 코어라고 한다.

크게 4가지의 근육으로 이루어져 있다(복횡근, 골반기저근, 다열근, 횡경막).

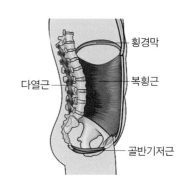

**Neutral**
자연스런 허리 곡선으로 내 몸이
가장 편안하고 안정된 상태.

**Imprint**

- 바닥에 누워 두 다리를 골반 너비로 벌리고 골반을 살짝 말아 후방경사
  를 만들어준다.
- 허리 힘이 아닌 복부의 힘으로 만들어야 한다.

    임프린트는 복부의 힘을 활성화시켜 주는 동작으로 골반의 후방경사를 약
간 만들어 바닥에 허리의 공간을 줄여주는 동작이다. 심부근육인 내복사근
과 복횡근 활성화에 도움을 주어 몸통을 안정화시켜 주기에 코어가 약하거
나 요추의 안정성이 약한 사람에게 안정성을 확보한 상태로 복부운동을 시
킬 수 있는 포지션이다.

×

허리가 꺾이지 않도록 주의한다.

## One Leg Toe Tap (원레그 테이블 탑)

코어 강화 및 조절능력 향상, 하복부 강화

고관절 굴곡근, 신전근 사용 인지

매트에 누워 두 다리를 직각으로 구부
린다.

EX 한 다리씩 바닥으로 내려준다.
골반의 안정성을 유지할 수 있는 범위
까지만 움직인다.

두 다리를 동시에 내렸다 올려준다.
허리꺾임에 주의한다.

## 필라테스의 움직임은 아동의 신체 발달 과정과 같다

아기의 정상적인 신체발달은 머리와 목, 가슴을 들고 뒤집기를 하고 균형을 잡고 앉는다.

네 발로 기어 다니고 마지막으로 혼자 설 수 있게 된다. 아기 때부터 누운 자세에서 시작해 머리를 들어 목을 가누고 팔과 다리를 들고 엎드려서 머리를 들어 올리고 기어갈 수 있는 움직임을 하기 위해 아기 스스로 조절하고 힘을 쓰도록 근육이 생겨나 그 과정에서 여러 근육들이 성장할 수 있기 때문이다.

아동의 발달은 우리의 신체가 어떻게 발달되어야 하는지를 보여주는 좋은 예 이다.

조셉은 무지한 부모가 아이의 신체발달을 해롭게 한다고 했다.

아무리 좋은 의도지만 자연스럽지 않은 방법을 강요하여 잘못된 습관을 만들고 스스로 성장할 수 있는 방법을 망친다. 이 말은 스스로 근육의 발달 시키고 움직일 수 있는데 그 과정을 통제시킨 상태에서 성장하기에 근육성장이 충분히 사용되지 못해 발달이 느려지거나 뼈의 모양이 올바르게 성장할 수 없다는 말이다

아이는 근육이 몸무게를 지탱하기 적당할 정도로 충분히 발달하여 움직일 때 평형 상태를 통제하는 지능을 갖고 유아기의 아이들이 바닥에 앉고 네 발로 기어다니는 것은 아이의 등과 다리 배와 어깨의 큰 근육을 발달시키는 것이다.

우리가 운동을 할 때 엎드린 자세, 네 발 기기 자세 등을 하는 이유는 코어 안정성을 발달시킬 수 있는 가장 좋은 운동이기 때문이다.

운동을 배울 때도 내 몸이 움직임과 근육이 성장하기도 전에 운동의 방향과 목적을 알려 주는 게 아닌 불필요한 큐잉과 핸즈온으로 발달을 막고 있는 게 아닌지를 생각해야 한다.

그렇기 때문에 운동을 시작할 때 원리와 목적을 정확하게 알고 있는 전문 강사에게 배워야 한다. 기다려 주지 않고 그 기회를 뺏어가는 강사는 좋은 강사는 아니다.

운동은 내 스스로가 몸을 움직여 만들어야 효과가 있는 것이다.

우리가 누구의 건강을 대신 해 줄 수 없는 것처럼 말이다.

## 헌드레드를 먼저 해야 하는 이유?

헌드레드는 필라테스를 할 때 가장 1번으로 나오는 움직임이다. 이 움직임은 아기가 머리를 가누기 위해 목을 먼저 드는 움직임과 몸의 체온을 올려 근육의 긴장감을 낮춰 줄 수 있는 동적 스트레칭 동작이기 때문이다.

잘못된 정적 스트레칭이 오히려 근육의 섬유화를 만들어 더 뻣뻣해질 수 있다.

### 스트레칭에는 2가지 스트레칭이 있다

움직이는 동적 스트레칭과 머무를 상태에서 자세를 유지하는 정적 스트레칭이 있다.

우리가 보통 운동 전에 정적 스트레칭을 하는 것으로 잘못 알고 있는데 이것은 우리의 스트레칭을 오히려 방해할 수 있다.

우리의 몸의 근육과 신경은 서로 얽혀 전신에 퍼져서 채워져 있다. 근육을 움직일 때마다 뇌에서부터 신호를 보내서 움직이게 된다.

스트레칭을 과하게 할 때 찌릿한 통증을 느끼는 경우는 신경이 유연하지 못하기 때문이다.

신경이 유연하지 않은 상태에서 과도하게 늘어나게 되면 근육과 신경으로 가는 혈류가 차단이 되고 결국 혈액 공급이 잘 되지 않고 제 기능을 하지 못하게 되어 퇴화하게 된다. 이것이 오래 지속되면 '섬유화' 하는 현상이 생겨 아예 늘어나지 않는 근육으로 바뀌어버릴 수 있다.

그렇게 되면 오히려 그 전보다 유연성이 떨어질 수 있다.

근육이 과 긴장되어 있는 상태에서 정적인 스트레칭을 지속하게 되면 섬유화 조직으로 더 악화될 수 있다.

그렇게 때문에 헌드레드라는 동작으로 몸의 체온을 높여 근육의 긴장을 낮춰주고 몸의 움직임을 반복시켜 주는 동적 스트레칭인 헌드레드 동작을 먼저 한다.

## 머리 들기 head nod

머리의 *끄덕임*으로 고개를 들어 올리는 움직임이다.

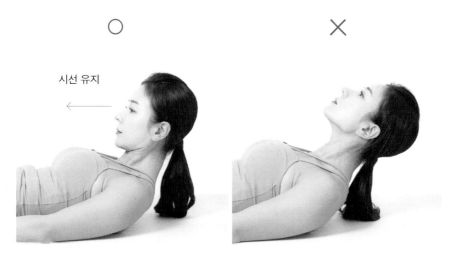

○        ✕

시선 유지

턱이 들리지 않도록 한다.

- 상체 굴곡 동작 시 목의 과 긴장을 예방하고 바른 굴곡을 만들어야 한다.
- 뒷목이 길게 턱 아래 작은 공에 공간을 유지한 채 고개를 끄덕 들어 올린다.

## 2- Way stretch Elongation (관절 신연, 축 신장)

"척추 사이 사이 늘려 보세요~", "정수리 위로 키 커지는 느낌이요~"

라는 말을 한 번쯤을 들어봤을 것이다

척추를 길게 늘리는 동작으로 앉은 상태 서있는 상태에서 중력에 대항해 몸을 위쪽 방향으로 일으켜 세우는 것이다.

누운 상태에서도 양방향으로 인지해야 한다.

필라테스에서는 Elongation(축 신장)이라고 한다.

쉽게 말해서 척추 사이의 관절을 둘러 싸고 있는 근육의 힘으로 세워 늘려 지지해 주는 견인 상태를 말한다.

필라테스에서 가장 중요한 움직임으로 모든 동작 시 인지해야 한다.

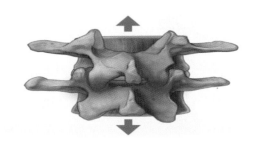

센터에서 서로 다른 방향으로 몸을
늘리려고 하는 움직임

**앉은 상태에서의 척추중립**

매트에 앉아 좌골 위에 척추를 세워 준다.
엉덩이와 머리가 위 아래 방향으로
길어진다.

척추가 주저 앉아
등이 굽지 않는다.

허리를 꺾지 않는다.

##  네 발 기기 자세 Quadruped

척추와 몸통을 안정화시키고 코어와 팔다리의 연결성을 인지시킨다.

1) 매트에 엎드려 어깨 아래 손바닥을 대고 골반 아래 무릎을 놓는다.
   척추 골반 중립 상태를 유지한다.

2) 몸통은 바닥과 평행 자세를 유지하고 팔을 앞으로 뻗어 낸다.
   견갑안정화 상태까지 팔을 올려 준다.
   어깨가 올라가지 않는 범위까지만 팔을 들어 준다.

3) 상체를 유지하고 다리를 뒤로 뻗어 올린다. 복부와 허리의 안정성 상태까지 올려 준다.
   골반이 회전하지 않도록 한다.

4) 팔 다리를 서로 반대 방향으로 길게 뻗어 준다. 척추골반의 중립상태를 유지한다.
   몸통이 좌우로 흔들리지 않도록 주의해야 한다.

## 척추의 움직임 Articulation (분절하기 )

척추의 부드럽게 분절시켜 뻣뻣한 척추의 유연성을 만들어 준다.

1) 매트에 엎드려 어깨 아래 손바닥을 대고 골반 아래 무릎을 놓는다. 척추 골반 중립 상태를 유지한다.

2) 내쉬는 호흡에 경추 - 흉추 - 요추 순서대로 척추의 움직임을 만들어 C커브를 만든다.

3) 마시며 요추 - 흉추 - 경추 순서대로 척추를 움직여 척추 신전 상태를 만든다.

## 스탠딩 롤다운 & 핸드 워킹

스탠딩 자세에서의 척추 분절과 몸통 안정화를 시켜준다.

1) 바르게 정면을 바라보고 선다.

2) 팔을 천장으로 길게 뻗어 올린다

3) 내쉬며 경추 - 흉추 - 요추
   순으로 분절 하며 내려간다.

4) 복부와 허벅지 공간을 유지하
   면서 손으로 바닥을 짚는다.

5) 한 손씩 앞으로 전진한다. (3-4번 )
   골반이 좌우로 움직이지 않도록 주의한다.

6) 어깨 아래 손을 놓고 머리부터 뒤꿈치까
   지 일직선으로 만들어 플랭크 포지션을
   만들어 준다.

##  어깨의 움직임 Scapular movement stabilization

필라테스에서 견갑의 안정화는 매우 중요하다.

견갑골을 안정화 하는 것은 경추를 지지해 줄 뿐만 아니라 팔과 몸통의 연결 부위이기 때문이다.

견갑골은 흉벽에 근육으로 연결되어 있으며, 뼈와 연결된 곳은 쇄골이 유일한 접합부이다.

흉곽과 척추에 직접적으로 관절을 이루며 연결되어 있지 않기 때문에 가동성이 매우 크지만 안정성은 떨어진다.

견갑골의 안정화와 팔의 더 큰 가동 범위를 만들기 위해서는 먼저 견갑골의 움직임을 이해해야 한다.

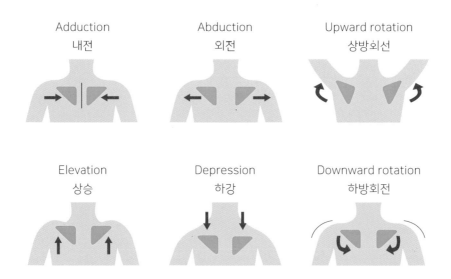

|  |  |  |
|---|---|---|
| Adduction<br>내전 | Abduction<br>외전 | Upward rotation<br>상방외선 |
| Elevation<br>상승 | Depression<br>하강 | Downward rotation<br>하방회전 |

Shoulder Circle (어깨로 원 그리기)

견갑의 움직임을 쉽게 할 수 있는 동적 스트레칭이다.

척추를 바르게 세우고 정면을 바라본다. 어깨를 으쓱해 귀와 가까워지게
만들고 가슴을 열며 뒤로 움직여 원을 그리며 제자리로 돌아온다.

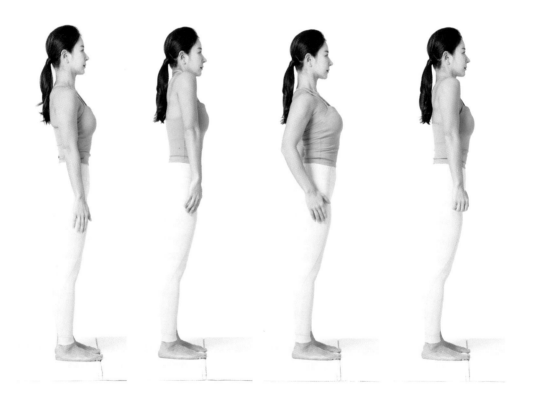

- 상체의 긴장을 풀고 진행한다.

- 경추가 앞뒤로 움직이지 않도록 시선을 고정시켜 준다

- 팔꿈치와 손목을 느슨하게 힘을 풀어 준다.

- 어깨 올리기가 불편하다면 으쓱거리기만 해도 좋다.

# BASIC
(초급)

# 1. hunderd (헌드레드)

 AB perp

헌드레드를 하기 전 준비단계로 상체에 굴곡을 만들어 움직임을 만들어 준다.

1) 매트에 누워 무릎은 구부려 세우고
두 손은 엉덩이 옆으로 나란히
길게 뻗어 준다.

- 고개를 들어올릴 때 턱을 당겨 시선은 배꼽 아래쪽을 바라볼 수 있도록 한다. 턱을 들어올리게 되면 목 뒤쪽으로 힘이 들어 가기 때문에 목이 불편하고 어깨가 올라가면서 오히려 불편한 자세를 만들 수 있으니 주의 한다.
- 척추 중립상태에서 허리가 약하다면 Imprint 상태로 만들어 준다.

2) 내쉬는 호흡에 목뒤가 길어지며 턱을 당겨 고개를 들어
   상체를 견갑 아래까지 들어올리며 두 팔을 다리 방향으로
   길게 뻗어 준다.

    허리 뒤쪽 힘을 써서 바닥으로 누르는 것이 아니라 복부의 힘을 이용하여
바닥과 가까워질 수 있도록 하여 약한 요추 주변의 근육을 활성화시키고 보
호해 준다.

- 발과 다리를 바닥에 지지하고 고정시켜 준다.
- 복부의 힘이 생기면 두 다리를 직각으로 들고 단계를 올려 시작한다.

3) IN매트에 누워 두 무릎을 직각 모양으로 만들고 팔을 앞으로 뻗어 어깨 높이까지 들어
   올린다. 척추 중립

- 좀더 난이도를 올리고 싶다면 구부린 두 다리를 천장을 향해 길게 뻗어
  준다.
- 최대한 호흡을 깊게 마시고 완전히 내쉬어 준다.
- 호흡을 통해 좀더 액티브하게 움직이고 싶다면 스타카토 호흡으로 조
  절한다.

4) EX 머리부터 들어 올려 상체를 굴곡시킨 상태를 만들고 두 팔은 아래로 길게 뻗어 준다.

5번 움직이며 호흡을 마시고 5번 움직이며 내쉰다.
10세트 반복하면 100번 움직임이 만들어진다.

- 100번의 움직임 동안 쉬지 않는다. 컨트롤하기 어려워 목과 어깨가 불편하면 머리를 바닥으로 내려 두어도 된다.
- 펌프질을 하는 동안 팔꿈치를 고정시킨 상태에서 어깨에서의 움직임이 나와야 한다.
- 복직근을 과하게 사용하여 복부가 나오는지 않도록 한다.
- 이때 허리가 바닥에서 뜨거나 꼬리뼈가 들리지 않도록 주의해야 한다.

## 2. Roll up (롤업)

Roll back

앉은 상태에서의 골반의 정렬, 척추 굴곡상태에서의 복부의 힘을 사용하여 척추를 세워주는 힘을 길러준다.

1) 두 다리를 골반 너비로 무릎을 세우고 척추를 세워 앉은 상태를 유지한다.
   팔은 어깨 높이로 앞으로 길게 뻗어 준다.

- 상체를 세우고 발바닥으로 바닥 지면을 지지하며 엉덩이에 힘을 주고
  주저앉지 않도록 주의한다.

2) 골반부터 천천히 움직여 뒤쪽 상체 중심을 이동한다.
  척추는 c커브를 유지한다.

3) 무게 중심을 앞으로 이동하며 척추를 세워 주며 시작 자세로 돌아온다.

• 상체가  이동할 때 어깨가 날개뼈에서 빠져나가지 않도록 견갑을 안정
  화 시켜주고 허리가 길게 펴지지 않도록 c커브를 유지한다.

## Roll up

누운 상태에서 척추분절, 복부근육을 조절하여 강화시킨다.

1) 매트에 누워 팔을 머리 방향으로 뻗고, 두 다리는 모아 발목은 길게 뻗어 양방향으로
   몸을 길게 뻗어 준다.

2) 팔을 앞으로 뻗고 동시에 머리를 같이 들어올려 상체를 굴곡한다. 척추 굴곡
   상태로 앞으로 숙여 다리와 평행하게 만든다.

3) 골반부터 뒤로 움직여 순차적으로 매트로 내려 눕는다.
   (3회)

- 팔을 움직일 때 어깨로 들어 올리지 않는다. 팔과 다리는 바닥과 평행하도록 한다.
- roll up으로 올라왔을 때 척추가 길게 펴지지 않도록 굴곡 상태를 유지한다.
- 고관절이 접히지 않게 C커브를 유지한다.
- 발 뒤꿈치는 바닥에 누르며 뻗어내 주어야 다리가 바닥에서 뜨지 않는다.
- 동작이 어렵다면 Roll back을 충분히 연습 후 진행한다.

# 3. Single leg circle (싱글 레그 써클)

1) 매트에 누워 한 다리는 길게 뻗고 한 다리는 외회전 해서 천장을 향해 길게 뻗어준다.

- 머리와 등을 바닥에 지지하여 몸통을 안정화시켜 준다.
- 어깨와 팔은 아래 방향으로 길게 뻗어 고정시켜 준다.

2) 다리를 안쪽에서 바깥 방향으로 원을 그려준다.

- 골반이 회전하거나 한쪽 방향으로 기울이지 않고 골반을 말아 올려
  엉덩이를 들어 올리지 않도록 골반의 안정성을 유지한다.

3) 시작자세로 돌아온다.
(5회 / 반대로 실시)

• 고관절이 불편하거나 햄스트링의 유연성이 떨어져 다리를 펴기 어려운 경우는 무릎을 약간 구부린 상태로 골반의 움직임만을 할 수 있다.

4) 골반의 안정성이 많이 떨어진다면 아래 다리를 구부리고 매트에 고정시킨다.

51
—

# 4. Rolling like a ball (롤링 라이크 볼)

1) 매트에 앉아 두 다리를 구부린다.
   호흡을 마시며 상체를 굴곡하여 C커브를 만들고 손으로 무릎 바깥쪽을 잡고
   발뒤꿈치는 붙이고 무릎은 어깨 너비로 열어 준다.
   체중을 뒤로 이동하며 두 다리를 매트에서 띄운다.


- 상체를 굴곡하여 C커브를 만들 때 어깨가 말리지 않도록 주의한다.
- 다리를 잡을 때 팔꿈치는 최대한 바깥쪽으로 벌려 등을 넓게 쓴다.

2) 허벅지와 몸통의 간격을 유지한 채로
   공처럼 뒤로 굴러준다.

• 몸을 구를 때 몸통과 다리 사이 간격이 움직이지 않도록 조절한다.

3) 복부의 힘을 유지한 채 시작 자세로 돌아온다.
   (5회-8회)

• 제자리로 돌아올 때 다리를 펴서 차면서 올라오지 않도록 복부 힘을 더
  쓰도록 한다.

# 5. Single Leg Pull (싱글 레그 풀)

1) 매트에 누워 두 무릎을 직각으로 구부리고 상체를 들어올려
   양손으로 무릎 바깥쪽을 잡는다.

- 목이 불편하지 않도록 날개뼈를 끌어 내려 등을 넓게 써 준다.
- 허리가 뜨지 않도록 인프린트 상태를 유지해 복부의 힘을 이용한다.

2) 상체를 굴곡 상태에서 한다리는 사선으로 뻗어 주고 두 손으로 구부린 무릎을 잡아
   팔꿈치를 넓게 벌려 당겨준다. (3회-5회 )

3) 반대쪽도 동일하게 실시한다.

- 다리가 교차하는 동안 골반의 정렬을 맞춰 준다.
- 다리를 뻗는 것보다 배꼽을 등쪽으로 붙이며 복부 운동에 집중한다.
- 복부의 안정성이 떨어지면 천장 쪽으로 뻗고 강해지면 점점 매트 쪽으
  로 다리를 내려준다.

# 6. Double Leg Pull (더블 레그 풀)

1) 상체를 굴곡하여 두 다리를 직각으로 구부려 들어올리고 두 손으로 무릎을 잡는다.

- 어깨 긴장감을 내려 놓는다
- 등을 넓게 쓰며 다리를 가슴 쪽으로 끌어 당긴다.

2) 두 다리를 사선 방향으로
   팔은 반대 방향으로 길게 뻗어 준다.

3) 팔을 바깥 쪽으로 원을 그리며 시작 자세로 돌아온다. 3회-5회 실시한다.

- 상체의 굴곡상태를 유지할 수 있는 높이까지만 뻗어 준다
- 복부의 힘으로 다리를 뻗어내며 움직이고 복부의 힘으로 다리 무게를
  컨트롤한다.

# 7. Spine Stretch Forward

(스파인 스트레치 포워드)

1) 두 다리를 어깨 너비로 무릎을 구부려 세워 발
　바닥을 바닥에 내려 놓는다.
　척추는 길게 세워주고 팔은 어깨 높이에서
　앞으로 뻗어준다.

- 턱을 과도하게 당겨 목 주변 근육을 긴장시키지 않도록 한다.
- 고관절 굴곡근과 대퇴 사두근을 과도하게 사용하지 않고 앉아 있는 근
  육에 집중한다.
- 골반의 중립을 유지하여 척추가 주저앉지 않도록 한다.
- 앉은 상태에서 최대한 앞으로 숙이며 상체 후면을 깊게 스트레칭한다.

2) 목 뒤쪽을 길게 경추부터 척추를
   C커브 만들어 머리가 무릎 사이로
   들어가며 등을 길게 늘려 상체를
   앞으로 굴곡시킨다.

3) 꼬리뼈부터 차례대로 복부의 힘으로 끌어
   올려 척추를 골반 위로 세워준다.
   (3회-5회)

## 고관절 가동성 향상 스트레칭 5 Hip Flexor Stretch

고관절의 가동범위가 제한되면 몸통의 안정성이 떨어지고 몸의 정렬이 무너져 여러 가지 통증을 만들기 때문에 고관절 주변 근육을 유연하게 만들어야 한다.

### 1. Butterfly

1) 매트에 앉아 발바닥을 서로 맞대고 골반을 열어준다.
2) 상체를 앞으로 숙여 무게중심을 이동시켜 준다.

## 2. Kneeling Hip Flexor Stretch

1) 매트에 무릎을 대고 한 다리는 뒤로
   보내고 상체를 세워 준다.

2) 무게 중심을 앞으로 움직여
   고관절을 앞뒤로 열어 준다.

3) 골반을 뒤로 움직여 앞쪽 무릎을 펴내며
   상체를 숙여 스트레칭 해준다.

Basic ( 초급 )

## 3. Bridge

1) 매트에 누워 무릎을 구부리고 팔을 길게 뻗어 내려
   놓고 척추 중립을 유지한다.

2) 골반 높이로 엉덩이를 들어 올려 준다.
   척추 골반 중립 유지

- 허리를 과도하게 올리지 않는다.
- 발바닥으로 매트를 누르며 둔근의 힘을 쓴다.

## 4. Lying Hip Flexeor Stretch

1) 매트에 누워 무릎을 구부리고 한 다리를 길게
천장으로 뻗어 손으로 발목을 잡는다.

- 유연성에 따라 발목 또는 종아리를 잡을 수 있다.

2) 발목을 잡고 꼬리뼈가 뜨지 않게 유지하며
가슴 가까이 당겨 온다.

- 상체 긴장을 내려놓는다.
- 팔 힘으로 당겨오지 않는다.

3) 다리 유연성이 있으면 두 다리 모두 펴고
   스트레칭 한다.

4) 한 손으로 발목을 잡고 한 손은 바닥을 내려놓고
   상체를 반대쪽으로 회전한다.

## 5. Reclined Hip Stretch

1) 매트에 누워 무릎을 세우고 한 다리만 접어
   반대쪽 무릎 위에 올려 놓는다.

2) 양손으로 아래 허벅지를 잡아 준다.
   반대쪽 다리는 무릎을 열어 외회전 한다.

3) 가슴 방향으로 가져오며 스트레칭 한다.

# INTER-MEDIATE
## (중급)

# 1. The hundred (헌드레드)

1) 매트에 등을 대고 누워 손바닥이 천장을 바라보게 머리 위로 길게 뻗고
   두 다리는 발등까지 아래로 길게 뻗어 중립상태를 유지한다.

 Point

• 내 몸이 매트와 평행 상태를 유지하며 팔 다리 방향이 서로 길어지는

  이미지를 상상한다.

2) 호흡을 내쉬며 두 손을 앞으로 길게 뻗어 상부 흉추까지 들어 올리며
   동시에 다리는 사선으로 길게 뻗어 들어 올린다.

3) 마시며 5번 내쉬며 5번 팔을 위 아래로 움직여 준다.
   10세트를 반복하여 100번의 움직임을 하는 동안 호흡한다.

- 어깨가 올라가지 않도록 견갑을 아래로 끌어 내린다
- 배를 앞으로 내밀게 되면 복직근을 과 사용 하게 되어 배가 볼록하게
  튀어 나오므로 주의한다.
- 다리는 허리가 뜨지 않는 범위까지만 내려 허리의 안정성을 유지한다.

## 2. Roll UP (롤업)

1) 매트에 척추와 골반은 중립상태로 바르게 누워 팔은 머리 위에 뻗고,
   두 다리는 모아 길게 뻗고, 발은 발목을 당긴 상태로 준비한다.

2) 마시는 호흡에 팔을 어깨 앞으로 움직이며
   내쉬는 호흡에 머리부터 상체를 들어 올린다.

3) 상체 C커브를 유지하며 다리와
   평행하게 숙여준다.

4) 골반부터 뒤로 움직이며 순차적으로 내려오며 시작 자세로 돌아간다.
  (4회-6회 실시)

Point

- 척추의 움직임을 순차적으로 만들어서 C커브 모양을 만든다.
- 상체에 과도한 긴장으로 어깨가 말리지 않도록 한다.
- 척추의 움직임을 순차적으로 만들어서 C커브 모양을 만든다.
- 상체에 과도한 긴장으로 어깨가 말리지 않도록 한다.

# 3. Single Leg Circle (싱글 레그 서클)

1) 등을 대고 매트에 누워 한 다리를 천장으로
   발등까지 길게 뻗어 올리고
   반대 다리는 길게 뻗어 뒤꿈치를
   매트에 고정시킨다.

2) 마시는 호흡에 다리를 안쪽에서 바깥쪽으로 원을 그린다.

3) 내쉬며 반원을 그리며 다리를 제자리로 돌아온다.
   허리가 꺾이지 않도록 집중한다.
   (5회 후 반대 방향)

🦶 Point

- 움직이는 동안 상체를 매트에 고정시킨다.

- 몸통이 흔들리지 않도록 복부에 힘을 이용한다.

- 몸을 계속 길게 뻗어 내는 이미지를 그려내려 원을 그린다

- 고관절에서 소리가 나거나 허리가 아프면
  다리의 무게를 복부로 옮겨 주고 무릎을 살짝 구부린다.

- 골반이 고정이 잘 안되고 흔들리면
  원을 작게 그려 조절한다.

## 4. Rolling Like Ball (롤링 라이크 볼)

1) 무릎을 굽히고 양손으로 발목을 잡아 발끝을
   바닥에서 띄어 몸의 중심을 잡는다.
   팔꿈치는 최대한 넓게 써서 등을 펴주고
   척추가 주저앉지 않도록 등을 길고
   동그랗게 만들어 준다. C커브 유지

2) 마시는 호흡에 몸을 C커브로 유지하며 뒤로 목까지 구른다.
   다리와 복부 간격을 유지하며 시선은 배꼽에 고정시켜 준다.

3) 척추 모양을 계속 유지하며 내쉬는 호흡에 빠르게 제자리로 돌아온다.
   무릎이 펴지며 차올라 오지 않도록 복부 힘으로 조절한다.
   (6회-10회 )

잘못된 자세

Point

- 복부와 허벅지 사이의 공간을 유지한다.

- 중력의 힘이 아닌 스스로 컨트롤 하여 롤링한다.

- 올라올 때 무릎이 펴지지 않도록 특히 주의한다.

- 시선을 고정시켜 경추의 안정성을 높여 준다.

- 무릎이 펴지며 다리로 차올리지 않는다.

# 5. Single Leg Pull (싱글 레그 풀)

1) 상체를 굴곡하여 상부 흉추까지 바닥에서 띄운 상태로
   두 다리는 구부리고 두 손은 무릎 바깥쪽을 잡아준다.

 Point

- 다리를 사선으로 뻗어 낼 때  둔근에 힘을 풀리지 않도록 한다.
- 팔꿈치는 넓게 등을 쓰도록 한다.
- 상체가 올라올 때 등을 바닥에 누르는 복부와 동시에 쓴다.
- 상체 굴곡이 어렵거나 목이 불편하면 상체를 매트에 내려놓는다.

2) 내쉬며 한 다리를 사선 방향으로 뻗고 반대쪽 다리는 무릎을 접어 가슴 방향으로 당긴다.
   이마와 무릎이 점점 가까워지고 복부와 허벅지의 공간은 유지하여
   고관절이 너무 접히지 않도록 한다.

3) 반대쪽 다리도 동일하게 실시한다.
   (3회-5회)

# 6. Double Leg Pull (더블 레그 풀)

1) 두 다리를 구부려 들어 올려 상부 흉추까지 상체를 들어 올리고
   양손으로 무릎 바깥쪽을 잡는다.

2) 호흡을 내쉬며 팔다리를 반대 방향으로 뻗어 준다.
   상체 굴곡을 계속 유지한 채 몸을 최대한 길게 쓰고 허리가 꺾이지 않도록 주의한다.

3) 팔로 원을 그리며 호흡을 마시며 제자리로 돌아온다.
   (3-5회 반복)

🦶 Point

- 인프린트 자세를 유지하여 골반과 요추의 안정성을 돕는다.
- 허리의 안정성이 떨어지면 팔과 다리의 높이를 위쪽으로 올려준다.
- 시선을 고정시켜 경추의 움직임은 조절한다.
- 햄스트링이 타이트하면 무릎을 약간 구부려 준다.

# 7. Single Leg Stretch (싱글 레그 스트레칭)

1) 상체를 굴곡하고 양손으로 발목을 잡고 한 다리를 사선으로 뻗어내고
   반대 다리는 몸 쪽으로 가까이 당겨온다.
   복부는 C커브를 만들고 이마와 무릎이 가까워진다.

2) 내쉬며 반대쪽 다리로 교차시킨다.
   두 다리의 뻗어내고 가져오는 각도를 동일하게 유지한다.
   (3회-5회 반복)

3) 유연성에 따라 손의 위치를 변경할 수 있다.

Point

- 다리를 교차할 때 허리의 안정성을 유지할 수 있는 범위까지만 내린다.
- 중력에 의해 다리가 떨어지지 않는다.
- 골반이 회전되거나 한쪽으로 기울지 않도록 주의한다.
- 팔꿈치가 아래 방향으로 내려가 어깨가 올라가지 않도록 하고 팔 힘으로 다리를 당겨 오지 않는다.
- 햄스트링이 타이트하면 무릎을 약간 구부려 준다.
- 상체 굴곡이 어렵거나 목이 불편하면 매트에 내려놓고 다리만 실시한다.

# 8. Double Leg Stretch (더블 레그 스트레칭)

1) 두 손으로 머리 뒤를 받치고 상체를
   날개뼈 아래까지 들어올리고 두 다리는
   모아서 길게 천장으로 뻗어 준다.

 Point

- 목 주변이 약하거나 불편하면 머리를 내려놓는다.
- 허리가 바닥에서 꺾이지 않도록 인프린트를 유지한다.

2) 상체는 흔들리지 않도록 고정시키고 복부의 힘으로  내쉬는 호흡에
   두 다리를 길게 뻗어 내리고 마시는 호흡에 제자리로 돌아온다.
   (3회-5회)

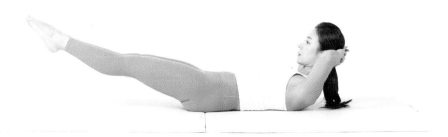

- 허리의 안정성이 떨어지면 다리 각도를 많이 내리지 않는다.
- 팔꿈치는 넓게 열어 날개뼈가 모아지지 않도록 한다.
- 반동으로 다리를 차올리지 않고 복부 힘으로 컨트롤 한다.

# 9. Cirss Cross (크리스 크로스)

1) 양손으로 머리 뒤를 받쳐 상체를 들어 올리고 두 다리는 직각으로 구부린다.

2) 내쉬는 호흡에 오른쪽으로 상체를 비틀며 왼다리를 사선으로 뻗어준다.
   팔꿈치가 무릎 방향으로 가까워질 수 있도록 상체를 들어올린다.

 Point

- 상체를 움직일 때 골반 균형이 무너지지 않도록 조절한다.

- 상체를 올리기 위해 목을 당기지 않도록 하고 팔꿈치는 넓게 열어준다.

3) 상체가 떨어지지 않게 유지하며 마시는 호흡에 제자리로 돌아온다.

4) 한 번 더 내쉬며 왼쪽으로 상체를 비틀며 오른다리를 사선으로 뻗어 준다.
   (3회-5회 )

- 내쉬는 호흡에 3초 정도 버티며 구부린 무릎과 어깨가 점점 더 가까워
  질 수 있도록 노력한다.
- 센터로 돌아올 때 상체가 뒤로 떨어지지 않도록 한다.

# 10. Spine Stretch Forward
## (스파인 스트레칭 포워드)

1) 정면을 바라보고 두 다리는 어깨 너비로 앉은 상태에서
   척추 골반은 중립상태를 유지하고 세워 준다.
   두 손은 무릎 사이 바닥에 내려놓는다.

2) 내쉬는 호흡에 머리부터 상체를 C커브를 만들며 머리를 무릎 사이 방향으로 숙여 준다.
   마시면서 척추를 더 늘려 주고

3) 내쉬며 복부 힘으로 허리부터 척추를 골반 위에 다시 세워 준다.
   (3회-5회)

다리의 유연성에 따라 다리 모양을 변경할 수 있다.

 Point

- 발목은 당겨 뒷꿈치를 바닥에 고정 지지한다.
- 상체가 앞으로 숙여질 때 등을 넓게 써서 최대한으로 스트레칭 한다.
- 복부와 허벅지가 가까워지지 않고 옆구리를 더 세우고 C커브를 만들어
  준다.

# 11. Open Leg Rocker (오픈 레그 락커)

1) 무릎을 구부려 골반 너비로 열어주고 양손으로
   발목을 잡고 몸의 중심을 뒤로 옮겨 발을 매트
   에서 띄어 준다.

2) 다리를 위로 뻗어 올려 복부는
   스쿱 하고 상체는 옆구리를
   더 세워 끌어 올린다.

Point

- 시선은 한곳을 바라보고 집중한다.
- 뒤로 구를 때 무릎이 접히거나 다리 사이와 복부와 허벅지 공간이 바뀌

  지 않도록 유지한다.

3) 마시는 호흡에 뒤로 굴렀다
  내쉬며 제자리로 돌아온다.
  (4회-6회)

- 머리가 바닥에 닿지 않게 조절한다.
- 반동이 아닌 내 몸을 조절하면서 리듬에 맞춰 움직인다.
- 호흡은 반대로 할 수도 있다. 일정한 호흡 패턴을 유지한다.
- 다리의 유연성이 부족하다면 무릎을 접었다 폈다를 하며 스트레칭을 먼저 한다.

# 12. Corkscrew (콕스크루)

1) 매트에 누워 복부 힘으로 두 다리를
   들어 올려 천장으로 뻗어 준다.
   발끝도 길게 뻗어 주고 허리가 뜨지
   않도록 인프린트로 눌러 준다.

2) 마시는 호흡에 하복부 힘으로 다리를
   들어 올려 머리 뒤쪽으로 넘겨 주며
   롤오버 동작을 만들어 준다.

3) 내쉬는 호흡에 오른쪽으로 척추를
   하나씩 내려 놓으며 반원을 그려준다.

4) 반대 방향으로 반원을 그려 주며 다리를 다시 들어올려
   롤오버 동작으로 만들어 준다.
   (3-5회 실시)

🦩 Point

- 다리 사이가 벌어지지 않도록 허벅지 안쪽에 힘을 쓴다.

- 다리 길이가 달라지지 않도록 골반 정렬을 한다.

- 원을 그리며 내려올 때 천천히 컨트롤 하면서 내려온다.

- 경추에 무게가 실리지 않도록 척추를 세우고 양팔로 바닥을 지지한다.

- 척추가 중력에 주저앉지 않도록 천장으로 길게 뻗어 준다

## 13. Saw (쏘우)

1) 두 다리를 매트 너비로 열고 척추를 세워 앉는다.
   팔은 어깨 높이에서 양쪽으로 길게 뻗어 들고
   뒤꿈치는 눌러 발목은 당겨준다.

2) 오른쪽으로 상체를 회전하고 왼손이 오른발 끝을 지나간다.
   반대 팔은 등 뒤쪽으로 길게 뻗어 준다.

3) 요추부터 골반 위로 척추를
   세워주며 센터로 돌아온다.

4) 반대쪽으로 회전하며 동일하게 실시한다.
   (3회)

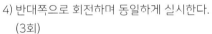 Point

- 척추 골반은 중립 상태로 세워 준다.
- 골반의 안정성을 유지한다.
- 어깨가 말리지 않도록 팔을 길게 뻗어 준다.

## 14. Neck Roll (넥롤)

상체 후면 근육을 강화시키고 목의 가동성을 증가시킨다.

복부를 스트레칭 시켜 주면서 동시에 허리의 안정성도 높여 준다.

1) 매트에 엎드린 상태에서 가슴 옆에 손바닥을 대고 팔꿈치를 아래로 내려 준다.
   두 다리는 모아 길게 뻗는다.

2) 팔꿈치를 몸통에 가까이 붙인 상태에서 머리와 가슴을 들고 정면을 바라본다.

### Point

• 엎드린 자세에서 복부가 바닥에 닿지 않도록 복부를 끌어올려 골반을
  바닥에서 살짝 띄운 상태를 유지한다.

3) 오른쪽으로 고개를 돌리고 상체는 계속 유지한다.

4) 턱을 아래로 내리며 고개를 반원을 그려 준다.
호흡은 자연스럽게 이어 간다.

5) 왼쪽 멀리 바라보고 정면을 바라보며 천천히 시작 자
세로 돌아온다.
(3회-5회)

- 상체를 유지할 때 손바닥으로 바닥을 충분히 밀어내며 어깨는 끌어 내린다.
- 자연스럽게 호흡 하며 목의 가동성을 점점 올려 준다.

# 15. Single Leg Kick (싱글 레그 킥)

1) 매트에 팔꿈치를 구부리고 엎드린 상태에서
   고개는 들어 앞을 바라보고
   두 다리를 모아 길게 뻗는다.

2) 마시는 호흡에 상체를 고정시키고 한 다리를 뒤로 접어 3번 킥을 한다.
   (킥은 한 번만 할 수도 있다)

3) 내쉬는 호흡에 다리를 길게 뻗어 시작 자세로 돌아간다.

4) 반대쪽 다리로 동일하게 실시한다.
   (3회 반복)

🦶 Point

- 어깨를 끌어 내려 팔꿈치로 바닥을 밀어내 견갑안정화를 시킨다.
- 배꼽을 끌어 올려 골반이 바닥에 내려가지 않는다.
- 허리가 꺾이지 않도록 주의한다.

# 16. Double Leg Kick (더블 레그 킥)

1) 손을 허리 뒤에 깍지 낀 상태에서 한 쪽 뺨을 대고
   두 다리는 모아 길게 뻗어 척추는 중립상태를 유지하고 엎드린다.

2) 마시는 호흡에 두 무릎을 뒤로 접어 3번 킥을 한다.

3) 내쉬는 호흡에 가슴을 열고 앞을 바라보며 깍지 낀 팔을 뒤로 길게 뻗어 준다.
   두 다리도 동시에 길게 뻗어 준다.
   (3회)

척추 이완

4) 동작이 끝난 후에는 휴식 자세를 만들어 척추를 이완시켜 준다.

골반 뜨지 않게 주의

 Point

- 상체가 흔들리지 않도록 고정한다.
- 고관절이 접혀 엉덩이가 솟아오르지 않도록 주의한다.
- 어깨 유연성이 가능하면 손의 위치를 올려준다.

# 17. Neck Pull (넥풀)

1) 천장을 바라보고 매트에 눕는다.
   손은 깍지를 껴서 머리 뒤로 놓고 발목은 당겨 뒤꿈치를 바닥에 고정시켜 준다.

2) 머리부터 순차적으로 상체를 들어 올리며 호흡을 마시고
   다리는 바닥에서 떨어지지 않도록 눌러 준다.

3) 내쉬는 호흡에 상체를 앞으로 숙여 주며 이마와 무릎이 가까워지고
   복부는 스쿱하여 허벅지와 복부의 공간을 만들어 척추를 스트레칭 시켜 준다.

4) 마시는 호흡에 골반 위로 척추를
   세워 앉아 주고 가슴을 열어 준다.

5) 내쉬며 다리를 길게 뻗고 등을 늘려 주며 허리부터
   순차적으로 매트에 내려 놓는다.
   (3회)

🧘 Point

- 어깨가 불편한 경우 손등을 이마에 대고 실시한다.
- 허리근육이 타이트한 경우 무릎을 구부린다.
- 다리가 바닥에서 뜨는 경우 발목에 스트랩을 사용한다.

# 18. Side Kick Series (사이드 킥 시리즈)

## - Front / Back

1) 옆으로 누워 팔로 머리를 받치고 한 손은 배꼽 아래 바닥에 놓는다.
   두 다리는 모아 길게 뻗는다.

 Point

- 운동하는 동안 몸통이 앞뒤로 흔들리지 않도록 지지한다.

- 둔근의 힘을 지속적으로 사용한다.

- 몸통이 중립을 유지할 수 있도록 아래쪽 옆구리가 바닥에 눌리지 않도
  록 한다.

2) 몸통을 고정시키고 아래 다리를 바닥에 누르며
   위쪽 다리를 골반 높이로 들어 앞으로 길게 뻗어 준다.

3) 내쉬며 골반 높이를 유지하며 뒤쪽으로 최대한 멀리 보내 준다.
   (3-5회 )

## – Up / Down

1) 옆으로 누워 두 다리를 길게 뻗어 준다.

2) 마시며 몸통을 지지하며 둔근에 힘을 써
   다리를 천장으로 길게 뻗어 올린다.

3) 내쉬며 발끝은 당기고 허벅지 안쪽 힘을 사용해
두 다리를 모아 준다.
(3회-5회)

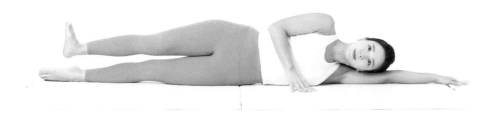

🦩 Point

- 운동하는 동안 몸통이 앞뒤로 흔들리지 않도록 지지한다.
- 둔근의 힘을 지속적으로 사용한다.
- 몸통이 중립을 유지할 수 있도록 아래쪽 옆구리가 바닥에 눌리지
않도록 한다.

# 19. Teaser 1 (티저1)

1) 매트에 누워 팔을 머리 위로 길게 뻗고 두 다리는 모아 길게 뻗어 준다. 척추 중립

 Point

- 상체는 척추의 분절 움직임으로 올라 온다.
- 두 다리는 모아 길게 뻗어 준다
- 두 팔은 등에서 부터 뻗어 견갑안정화를 시킨다.
- 상체와 하체를 동시에 움직여 협응력을 길러준다.

2) 팔을 앞으로 뻗어 주며 머리를 들어 올리고 몸통과 다리를 동시에 들어 올린다.

3) 시선은 발등을 바라보며 꼬리뼈 위로 중심을 잡아 V모양을 만들어준다. (3회)

# 20. Seal (실)

1) 앉은 상태에서 고관절을 외회전해서 무릎을 어깨 너비로 열고 발 뒤꿈치를 잡아서 꼬리
   뼈 쪽으로 중심을 뒤로 이동하여 발을 띄우고 앉는다.
   시선은 발 뒤꿈치를 바라본다.

Point

- 몸통과 다리 사이의 간격을 유지한다.
- 척추의 C커브를 유지하고 중심을 잡는다.

2) 마시는 호흡에 뒤로 구르며 발로 박수를 3번 치고 내쉬며 제자리로 돌아온다.
   (3-5회 )

- 구르기만 반복하고 박수는 1번 2번 3번으로 점차 늘린다.
- 목과 어깨의 긴장이 생길 시 복부의 연결성이 떨어지기 때문에 척추의
  정렬을 잘 맞춰서 진행해야 한다.

# ADVANCE
## (고급)

# 1. The Hundred

단계별 움직임으로 몸의 안정성을 가지고 이제는 내 몸을 최대한으로 활용해 보자.

깊은 호흡과 움직임으로 체온을 올려주고 체력을 향상시킨다.

1) 매트에 바르게 누워 양손을 머리 위로 두 다리를 길게 뻗고
   척추 골반은 중립상태를 유지한다.

IN -EXHALE

2) 양손을 앞으로 뻗어주며 상체를 들어 올리며 동시에 두 다리도 사선으로 뻗어 준다.
　 (다리의 높이는 눈높이)

3) 팔을 위아래로 펌프질 한다.
　 5번 펌프질 하면서 호흡을 마시고 내쉬며 5번 펌프질을 한다.
　 (10회 / 100회 )

    Point

- 시선은 발등을 바라본다.
- 호흡은 깊게 마시고 깊게 내쉰다.
- 팔이 움직이는 동안 상체를 고정시키고 몸통이 좌우로 흔들리지 않도
  록 한다. 좀더 빠르고 크게 움직여 보자.
- 허리에 다리의 무게가 느껴진다면 다리를 조금 위로 올려준다.

# 2. Roll Up

척추 분절의 대표적인 동작으로 척추의 유연성과 코어를 강화시킨다.

1) 매트에 스트랩을 발목에 걸고 뒤꿈치를 고정시킨다.
   손을 머리 위로 뻗어주고 등을 바닥에 누른다.

EXHALE

2) 손을 앞으로 뻗어 주며
   머리부터 들어 올려 척추
   를 C커브로 만들며
   앞으로 길게 늘려 준다.

EXHALE

3) 골반부터 뒤로 움직여
   순차적으로 내려온다.
   (4-6회)

4) 매트에 누워 팔 다리를 양 방향으로 길게 뻗어 준다.

Point

- 고관절이 접히지 않도록 복부를 들어올려 준다.

- 허벅지와 복부 사이의 공간을 유지한다.

- 다리와 머리는 서로 반대 방향으로 길어지며 몸 전체를 길게 스트레칭
  한다.

- 뒤꿈치를 밀어 낸다.

- 어깨가 말리지 않도록 견갑을 끌어 내린다.

- 목, 어깨의 바른 정렬을 유지한다.

# 3. Roll Over

롤업의 반대 움직임으로 복부의 힘으로 척추의 순차적인 움직임을 만들어 척추 신전근과 햄스트링을 스트레칭 시키고 척추를 마사지한다.

1) 양손으로 매트 위에 손잡이 Bar를 잡고 팔을 길게 뻗어 등을 좀더 바닥으로 눌러 준다.
  다리는 모아 길게 뻗고 준비한다.

2) 두 다리를 천장 방향으로 들어 올려 주고
  팔은 계속해서 Bar를 밀어낸다.

 Point

• 팔로 핸들바를 잡아 당기지 않고 밀어내며 등을 매트에 눌러 준다.

3) 내쉬며 골반을 들어올려 두 다리를
   머리 뒤로 보내준다.
   발끝이 바닥과 가까워진다.

4) 마시며 두 다리를 어깨 너비로 벌려준다.

EXHALE

5) 내쉬며 경추부터 순차적으로 매트에 내려오며 다리를
   모아 시작자세로 돌아온다.
   (3-5회)

- 롤오버로 넘어갈 때 후면 근육을 길게 늘려 준다
- 고관절이 접히지 않게 복부를 더 끌어 올린다.

# 4. Single Leg Circles

고관절 주변 근육과 둔근을 강화 다리 무게를 저항하는 움직임을 조절하
고 골반의 안정성을 만들어 준다.

1) 양손은 Bar를 잡고 한 다리는 매트
   한 다리는 천장을 향해 뻗어 준다.

Point

- 핸들을 밀어내며 등을 매트에 붙인다.
- 다리가 움직일 때 골반 정렬이 무너지지 않도록 집중한다.
- 시선은 천장을 바라보거나 다리 반대쪽으로 바라본다.

EXHALE

2) 골반 정렬을 유지하며 다리를 안쪽에서 바깥쪽으로 움직이며 원을 그린다.

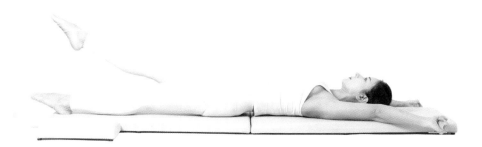

3) 반원을 그리며 제자리로 돌아온다.
   (5회 / 반대 5회)

# 5. Rolling Like a Ball

복부 근육 사용을 인지하고 몸의 균형 감각의 능력을 향상시킨다.

몸의 리듬 감각을 길러준다.

1) 골반 뒤로 중심을 이동하여 무릎을
   구부려 뒤꿈치는 붙이고 무릎은
   어깨 너비로 열고
   발목을 잡는다. 이마와 무릎이
   가까워지고 몸을 최대한 공처럼
   만든다.

 Point

- 리듬에 맞춰 몸의 정렬을 바르게 유지하고 움직인다.
- 어깨가 긴장되지 않도록 팔꿈치를 벌려 등을 넓게 펼쳐준다.
- 다리와 몸통 사이의 간격이 달라지지 않는다.
- 반동을 사용하지 않는다.

2) 골반부터 뒤로 움직여 C커브를 유지하고 구른다.

EXHALE

3) 무게중심을 앞으로 굴려 시작자세로 돌아온다.
   (4-6회)

# 6. Single Leg Pull

척추의 굴곡 상태를 지속적으로 사용하여 복부근육과 근지구력을 강화
시킨다. 상 하체의 움직임을 통해 협응력을 높인다.

1) 상체를 굴곡하여 두 다리를 굽혀 가슴 가까이 당겨 오고 발목을 잡고
   시선은 배꼽을 바라본다.

EXHALE

2) 오른쪽 다리를 접어 가슴 가까이 가져 오고 반대쪽 다리는 사선으로 뻗어 준다.

3) 마시며 두 무릎을 모아 이마와 가까워지도록 유지한다.

EXHALE

4) 왼쪽 다리를 접어 두 손으로 잡고 반대 다리는 사선으로 뻗어준다.
   (3-5 회)

Point

- 동작을 하는 동안 일정한 속도를 유지한다.
- 좌우 균형이 흔들리지 않도록 둔근에 지속적으로 힘을 준다.
- 허리가 매트 바닥에서 뜨지 않도록 고정시키며 복부의 힘이 있어서
  컨트롤이 가능하다면 다리를 좀더 내려도 좋다.
- 다리 교체시 상체 굴곡이 풀리지 않도록 한다.

# 7. Double Leg Pull

몸통에서부터 뻗어내는 힘을 강하게 쓸 수 있도록 몸의 안정성을
높여 준다.

1) 상체를 굴곡하고 발목을 잡는다.

Point

- 시선을 고정시켜 목이 움직이지 않도록 주의한다.
- 허리를 매트 바닥으로 고정시키고 복부의 힘이 약하다면 천장 방향으
  로 다리를 좀 더 올리고 복부의 힘이 강하다면 다리 각도를 점차 낮춰
  준다.
- 상체 굴곡이 풀리지 않도록 지속적으로 유지한다.

EXHALE

2) 팔과 다리가 서로 반대 방향으로 움직여 뻗는다.
   허리가 뜨지 않도록 인프린트 상태를 만든다.

3) 두 팔로 원을 그리며 무릎을 접어 시작 자세로 돌아온다.
   (3회-5회)

# 8. Single Leg Stretch

복부 근력을 강화, 다리를 길게 뻗어 내며 몸통을 안정화시키고 다리의
유연성도 높여 준다.


1) 상체를 굴곡시키고 오른쪽 발목을 두 손으로 잡아 이마와 무릎이 가까워지고
   반대 다리는 사선으로 뻗어 준다.

EXHALE

2) 다리를 교차시키며 왼쪽 발목을 잡고 반대 다리는 사선으로 뻗는다.
   (3회-5회)

Point

- 상체 굴곡을 유지하며 다리의 유연성을 올려 준다.
- 반드시 두 다리를 각도를 일정하게 유지한다.
- 뒷목이 길어지며 팔꿈치는 넓게 벌려 등의 힘을 쓴다.
- 발목도 길게 뻗어 준다.
- 시선은 고정시켜 경추의 안정성을 유지한다.

# 9. Double Leg Stretch

상체 굴곡 상태를 유지하고 다리의 움직임으로 복부 근력을 강화시킨다.

1) 두 손을 머리 뒤로 대고 팔꿈치는 넓게 벌려 상체를 굴곡시키고 두 다리를 천장으로
   뻗어 준다.

EXHALE

2) 상체 굴곡을 유지하고 두 다리를 길게 뻗으며 바닥과 가까이 내려 준다.
　(3회-5회)

Point

- 상체 굴곡을 지속적으로 유지할 수 있도록 노력한다.

- 시선을 고정시켜 경추의 안정성을 유지한다.

- 다리를 움직일 때 허리가 매트에서 뜨지 않게 인프린트 상태를 만들어
  준다.

- 다리의 각도는 복부의 힘과 허리의 안정성이 유지되는 선까지 내려 준
  다.

# 10. Criss cross

복부의 복사근을 활성화시키고 허리 주변 근육을 강화시킨다.

1) 손을 머리 뒤로 대고 상체를 굴곡시키고 두 무릎은 접어 이마와 가까이 가져간다.

EXHALE

2) 오른쪽으로 상체를 회전시키며 왼쪽 다리를 사선으로 길게 뻗어 준다.

3) 두 다리 모아 접어 센터로 돌아 온다. 상체 굴곡을 유지한다.

EXHALE

4) 왼쪽으로 상체를 회전시키며 오른쪽 다리를 사선으로 길게 뻗어 준다.
   (3회-5회)

Point

- 경추의 과도한 움직임이 일어나지 않도록 주의한다.
- 어깨를 안정화시켜 상부 승모근의 긴장을 낮춘다.
- 골반이 회전되지 않도록 복사근을 활성화시킨다.
- 꼬리뼈가 뜨지 않게 복부 힘으로 누른다.

# 11. Spine Stretch Forward

앉은 상태에서의 하체 근육을 활성화시키고 척추의 유연성을 높여 준다.

1) 매트에 앉아 어깨 너비로 다리를 벌리고 두 손은 모아 바닥에 내려놓는다.

🦶 Point

- 척추를 세워 앉을 때 다리를 펴는 힘보다 위로 세워 올리는 힘을 더 쓰도록 한다.
- 다리를 펴기 위해 무릎을 누르거나 허벅지의 힘이 쓰지 않고 뒤꿈치를 길게 뻗어 내는 힘으로 다리를 펴 준다.
- 복부와 허벅지의 공간을 유지하고 고관절이 접히지 않도록 한다.

EXHALE

2) 상체를 굴곡시키며 두 손을 슬라이딩 하듯 앞으로 밀어 준다.

3) 마시며 골반 위로 척추를 아래 허리부터 쌓아 올리며 정면을 바라본다
   (4-6회)

# 12. Close Leg Rocker

몸의 균형감각을 깨워 주고 상하체의 협응력 증가

움직이는 동안의 조절력과 높은 집중력을 만들어 준다.

1) 두 다리를 모아 사선 위로 곧게 뻗어 올리고 발목을 당겨 손으로 발목을 잡는다.
   요추는 약간 뒤로 굴린 상태에서 좌골 위에 앉는다. (C커브)

Point

- 상체가 중력의 의해 주저앉지 않게 복부와 등의 힘을 써 척추를 길게 C
  커브로 만든다.
- 반동으로 움직이지 않고 복부의 힘으로 컨트롤 한다.
- 움직임의 속도가 일정하게 앞뒤로 구른다.

2) 마시며 골반부터 둥글게 굴려 뒤로 구른다.
　　시선은 배꼽을 바라보며 척추 굴곡을 유지한다.

EXHALE

3) 상체 굴곡은 계속 유지한 채 두 다리는 곧게 뻗은 상태로
　　복부의 힘을 써서 시작자세로 돌아온다.
　　(4회-6회)

# 13. Corkscrew

와인 오프너처럼 몸을 크게 척추를 움직이는 동작으로 복사근 하복부를
단련시켜 준다.

1) 매트에 두 다리는 모아 사선으로 뻗어주고 팔은 위로 뻗어
   핸들을 잡아준다.
   인프린트 상태로 요추의 안정성을 높여준다.

2) 꼬리뼈부터 골반을 말아 올려 척추를
   분절해 다리를 머리 위로 올린다.

EXHALE

3) 한쪽으로 윗 등부터 척추를
   내려 놓으며 반원을 그려준다.
   다리는 복부 힘으로 유지한다.

4) 나머지 반원을 그리며 꼬리뼈부터
   다리를 머리 위로 올려 몸을 길게
   위로 뻗어 준다

5) 천천히 윗 등부터 분절하며 척추를 매트에 내려놓으며 시작 자세를 지나 반대쪽도 동일
   하게 움직인다. (3회)

Point

• 고관절이 접히지 않도록 등에서부터 뻗어내 몸을 길게 쓴다.

• 양쪽 옆구리의 길이가 한쪽이 짧아지지 않는다.

# 14. Saw

톱질하는 모양으로 흉추가동성의 증가 척추관절의 유연성과 안정성을
높여 주며 외복사근을 단련시킨다.

1) 두 다리를 매트너비로 벌리고 앉아 어깨 높이로
   팔을 들고 척추를 세워 정면을 바라본다.

2) 몸통을 오른쪽으로 회전시킨다.

🐦 Point

• 발목은 굴곡 상태로 뒤꿈치를 매트에 고정시킨다.
• 허리의 회전이 아닌 흉추의 회전으로 움직임을 만들어 준다.

3) 상체를 굴곡시켜 왼손이 오른쪽 발끝을
지나서 길게 뻗어 주고 반대 손은 등 뒤로
뻗어 올린다.

4) 마시는 호흡에 허리부터 척추를 쌓아
올려 상체를 일으켜 가운데로 돌아오며
정면을 지나 반대쪽으로 회전한다.

EXHALE

5) 상체를 굴곡시키며 오른손이 왼발 끝을
지나간다.
(3회)

- 상체를 지속적으로 끌어 올리는 힘을 쓰며 곧은 자세를 유지한다.
- 앉은 상태에서 두 다리의 길이가 서로 달라지지 않도록 골반을 안정화
한다.

## 15. Swan

척추 기립근과 둔근을 강화시키고 흉추의 신전 가동성을 향상시켜 준다.
복부를 스트레칭 시켜 준다.

1) 두 다리를 모아 매트에 엎드려 어깨 너비만큼 바를 잡는다.

 Point

- 어깨를 끌어 내려 견갑안정화 상태를 유지한다.
- 척추 신전근과 복부의 활동화를 동시에 사용한다.

EXHALE

2) 바를 밀어내며 상체를 들어 올려 가슴을 열어준다.
　　(4회-6회)

- 복부에 긴장감을 유지하며 허리가 꺾이지 않도록 한다.
- 둔근에 힘을 지속적으로 사용한다.

# 16. Single Leg Kick

상체를 유지하고 있는 동안 견갑안정화를 만들고
몸통과 골반의 안정성을 유지하고 고관절 신전근을 강화시킨다.

1) 매트에 엎드려 어깨 아래 팔꿈치를 대고 주먹을 쥐어 준다.
   두 다리는 모아 가슴을 열어 상체를 들어 정면을 바라본다.

2) 상체 자세를 유지하고 오른쪽 무릎을
   뒤로 접어 2번 짧게 찬다.

 Point

- 견갑골의 안정성을 유지하고 어깨가 긴장되지 않도록 한다.
- 복부는 끌어 올려 골반을 매트에서 띄운다.

EXHALE

3) 오른쪽 다리를 길게 뻗어 매트에 내려놓는다.

4) 상체는 유지하며 왼쪽 다리도 동일하게 실시한다.
   (3회)

- 허리가 꺾이지 않도록 복부를 끌어 올려 바닥에 닿지 않도록 힘을 지속
  적으로 사용한다.
- 둔근과 햄스트링이 힘이 풀리지 않는다.
- 상체가 불안정하다면 이마에 두 손을 대고 엎드리고 실시한다.
- 킥을 한 번만 할 수도 있고, 동시에 찰 수도 있다.

# 17. Double Leg Kicks

등 후면 근육을 강화시키고 어깨 주변을 스트레칭 시켜 준다.

1) 매트에 엎드려 한쪽으로 고개를 돌린다.
  두 다리는 모아 길게 뻗고, 두손은 허리 뒤로 가볍게 잡아 준다.

EXHALE

2) 두 다리를 모아 무릎을 뒤로 접어
  3번 찬다.

## EXHALE

3) 다리를 뒤로 길게 뻗으며 상체를 들어 올리고
   동시에 팔을 뒤로 길게 펴 준다.

4) 고개를 반대 방향으로 돌리며 동일하게 실시한다. (3회)

Point

- 상부 승모근이 긴장되지 않는다.
- 무릎을 구부릴 때 상체는 흔들리지 않도록 컨트롤 한다.
- 척추와 골반의 정렬을 계속 유지하고 전방경사를 주의한다.

# 18. Thigh Stretch

허벅지 앞부분 근육들의 신장성 수축을 통한 둔부강화 대퇴사두근을 이
완시킨다.

1) 매트에 무릎을 구부리고 척추를 길게 세워
   팔은 머리 위로 뻗어 상체를 길게 늘려 준다.

EXHALE

2) 척추 골반을 유지하고 무릎에서 뒤로 접어 준다.
   팔은 아래로 내려 정면을 향해 뻗어 준다.
   (3회-4회)

Point

- 몸을 최대한 길게 늘려 견인시킨다.

- 무릎을 뒤로 접을 때 고관절이 접히지 않도록 고관절을 계속 펴낸다.

- 팔은 머리 위로 계속 뻗어 낼 수도 있다.

# 19. Neck Pull

척추 분절과 등 하부의 분절 움직임을 만들어 주고 다리의 유연성,
큰 저항을 이겨낼 수 있는 강한 복부 힘을 만들어 준다.

1) 손을 겹쳐 머리 뒤에 대고 팔꿈치는 넓게 벌려준다.
　 두 다리는 골반 너비, 스트랩을 걸고 발목은 굴곡 시킨다.

2) 머리부터 상체를 들어 올리고 팔꿈치는 넓게 벌린다.

Point

- 다리가 바닥에서 들리지 않도록 뒤꿈치를 계속 눌러 준다.
- 상체를 앞으로 숙일 때 뒷목을 길게 유지한다.
- 척추가 순차적으로 움직일 수 있도록 컨트롤 한다.
- 팔꿈치는 계속 넓게 벌린 상태를 유지한다.

## EXHALE

3) 복부로 상체를 끌어올리며 이마가 무릎 방향으로 가까워지고 척추를 둥글게 만들어 준다. 깊은 척추의 스트레칭을 만들어 준다.

4) 골반 위로 척추를 바르게 세워 정면을 바라본다.
발목은 굴곡을 유지하고 뒤꿈치는 앞으로 계속 밀어내는 힘을 쓴다.

## EXHALE

5) 골반부터 뒤로 움직여 천천히 내려온다.

Advance (고급)

# 20. High Scissors

다리가 가위질 하듯이 움직이는 동작으로 골반과 몸통의 안정성을 만들
어 주며 척추 안정근을 강화시킨다.

1) 매트에 누워 다리를 천장으로 들어 올려 손으로 골반을 받쳐 준다.
   골반을 지지하며 등은 길게 세워 준다.

Point

• 상체는 고정시킨 상태에서 다리만 움직인다.
• 두 다리의 각도를 맞춰 준다. 한쪽만 과도하게 움직이지 않는다.
• 경추에 무게가 실리지 않도록 주의한다.

EXHALE

2) 오른쪽 다리를 사선으로 뻗어주고
   반대 다리는 얼굴 방향으로 가져온다.

3) 상체는 움직이지 않고 왼다리도 동일하게 앞뒤로 교차시킨다.
   (3회)

# 21. High Bicycle

자전거 타듯 움직이는 동작으로 척추와 골반의 안정화를 시켜준다.
햄스트링과 고관절을 유연하게 만들어 준다.

1) 매트에 누워 두 다리를  천장으로 뻗어 올려 손으로 골반을 받쳐 준다.
   경추에 체중이 실리지 않도록 등을 세운다.

2) 한 다리를 사선으로 뻗어 준다.

EXHALE

3) 뻗은 다리 무릎을 뒤로 접어 내려 준다.

4) 다리를 교차시켜 제자리로 돌아와 반대 방향도 실시한다.
   (3회)

Point

- 앞뒤로 교차하며 자전거 타듯이 움직인다.

- 골반과 견갑골의 안정성을 유지한다.

- 무릎을 구부릴 때 고관절은 최대한 신전시키도록 노력한다.

- 부드럽게 관절을 가동 범위 내에서 움직인다.

# 22. Shoulder Bridge

고관절의 신전근을 활성화시키고 골반과 몸통의 안정성을 높여 준다. 한 쪽 다리의 반복적인 움직임으로 근지구력을 향상시킬 수 있다.

1) 매트에 누워 무릎을 세우고 골반을 들어 올려 손으로 허리를 받쳐 준다.

2) 오른쪽 다리를 천장으로 길게 뻗어 올린다.

EXHALE

3) 골반 높이를 유지하고 다리를 길게 뻗어 내린다.
   발목은 굴곡시킨다.

4) 무릎을 뒤로 접어 매트에 내려놓고 시작 자세로
   돌아온다. 반대쪽도 실시한다.
   (3회)

𝄞 Point

- 체중이 경추에 실리지 않도록 주의한다.
- 골반의 높이를 일정하게 유지하고 회전하지 않는다.
- 중립상태를 유지한다.

# 23. Spine Twist

척추 근육을 신장시키고 복사근의 활성화로 흉추의 회전력을 향상시켜 척추
의 유연성을 높여주며 코어를 강화시킨다. 햄스트링을 스트레칭 시켜 준다.

1) 매트에 앉아 두 다리를 모아 척추를 세우고
   팔은 어깨 높이로 들고 양 옆으로 길게 뻗어 준다.

Point

- 앉은 상태에서의 상체를 계속 끌어 올린다.
- 골반의 안정성을 유지하며 회전시킨다.
- 회전할 때 다리 길이가 달라지거나 팔의 각도가 변하지 않게 한다.
- 시선 방향도 자연스럽게 계속 움직인다.
- 반동으로 움직이지 않는다.

## EXHALE

2) 오른쪽으로 몸통을 회전시킨다.
팔의 간격이 달라지지 않게 유지하고 상체를 더 견인시킨다.

## EXHALE

3) 제자리를 지나 다시 내쉬며 반대쪽으로 회전시킨다.
(3회)

# 24. Jackknife

척추 분절을 통해 복부 근력을 강화하고 목, 어깨, 허리 강화, 척추의 유
연성을 향상시킨다.

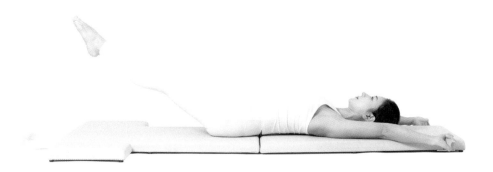

1) 매트에 누워 팔을 머리 위로 뻗어 바를 잡고 두 다리는 모아 사선으로 길게 뻗는다.

Point

- 체중이 어깨에 실리도록 한다.
- 고관절 신전근을 사용해 두 다리를 길게 뻗어 준다

## EXHALE

2) 복부의 힘으로 두 다리를 들어 올려
   천장으로 뻗어 준다.

- 다리의 무게를 컨트롤 한다.

- 목, 허리가 불편하면 동작을 하지 않는다.

3) 등을 세워 얼굴과 발끝을 일직선으로 만들어 준다.

4) 척추를 하나씩 분절하며 매트에 내려 놓는다.
   손으로 핸들을 밀어내며 등을 길게 쓴다.

EXHALE

5) 복부를 컨트롤 하여 두 다리를 사선으로 길게 뻗어 내리며 시작 자세로 돌아간다.

# 25. Side kick Series

## Front / Back

측면근육을 활성화시켜 주며 몸통 안정화를 높여 준다.

고관절과 둔근의 힘과 가동성을 향상시켜 준다.

1) 매트에 옆으로 누워 두 손을 머리 뒤로 깍지 끼고 두 다리는 모아
   상체보다 매트 앞쪽에 놓는다.
   다리를 골반 높이로 앞으로 뻗어 준다.

EXHALE

2) 다리를 뒤쪽 방향으로 보내 준다. 아래 다리는 매트를 눌러 주고
   다리 높이는 일정하게 움직인다.
   (5회)

## Up / Down

1) 상체는 유지하고 위쪽 다리를
   천장으로 뻗어 올린다.

EXHALE

7) 발목은 굴곡시키고 다리를 길게 뻗어 내려준다.

 Point

- 상체가 흔들리지 않도록 지지한다.

- 다리 높이가 일정하게 골반 높이에서 앞, 뒤로 움직인다.

- 매트에 옆구리가 눌리지 않게 살짝 들어 올려 준다.

- 팔의 위치가 불편하면 옆으로 누워서 진행한다.

- 허벅지 안쪽 내전근을 지속적으로 사용한다.

# 26. Teaser

필라테스의 꽃이라고 불리는 동작으로 복근 및 고관절 굴곡근을 강화시
키고 척추와 햄스트링의 유연성을 향상시킨다.

1) 매트에 누워 팔과 다리를 반대 방향으로 길게 뻗어 준다. 척추 중립

2) 팔을 앞으로 움직이며
   상체를 들어올린다.

3) 상체와 다리가 동시에 올라온다.
   꼬리뼈 위에 균형을 잡고
   V자 모양을 만들어 준다.

EXHALE

4) 팔을 귀와 일직선으로 천장을 향해 뻗는다.
   상체와 다리의 위치는 유지한다.

5) 팔을 내려 주면서 상체와
   다리가 동시에 순차적으로
   매트로 내려온다.
   (3회)

 Point

- 경추와 척추의 올바른 정렬을 유지한다.
- 다리를 움직일 때 복부를 끌어 올려 복부활성화를 시킨다.
- 다리 무게를 컨트롤 하기 어렵다면 무릎을 살짝 구부린다.
- 팔과 다리는 동시에 움직인다.

# 27. Hip Circles

어깨와 등의 안정성을 만들고 몸통을 안정화시킨다 고관절의 가동성을
증가시키고 하복부를 강화시킨다.

1) 매트에 앉아 양 손을 엉덩이
   뒤쪽으로 놓고 골반을 뒤로 굴려
   살짝 중심을 이동한다.
   두 다리는 천장으로 뻗어 준다.

EXHALE

2) 오른쪽에서 왼쪽 방향으로 원을 그린다.
   반대쪽도 실시 한다.
   (3회 실시)

Point

- 상체가 뒤로 눕지 않게 바닥을 계속 밀어 내 등을 세워 준다.
- 어깨가 말리거나 상체를 세우기 어려우면 팔꿈치를 바닥에 댄다.
- 다리의 무게가 허리에 실리지 않도록 복부 힘으로 뻗어 준다.
- 상체를 일으키지 못하는 경우 팔꿈치를 매트에 댄다.

# 28. Swimming

상체와 하체의 조화로운 움직임을 만들고 몸통과 골반의 안정성을 높여

준다. 척추 기립근을 강화시킨다.

1) 매트에 엎드려 두 다리를 모아 길게 뻗고 팔은 머리 위로 뻗어 준다.

![Point]　Point

- 어깨의 긴장은 낮추고 승모근이 과하게 사용 되지 않는다.
- 일정한 호흡패턴으로 움직인다.
- 팔다리의 높이는 몸통의 안정성을 유지 할 수 있어야 한다.
- 수영하듯이 크고 빠르게 움직여 준다.

EXHALE

2) 상체를 들어올리고 오른손과 왼다리를 더 높게 올려 준다.

IN-EXHALE

3) 시작자세를 지나 팔 다리를 교차시켜 반대 움직임을 한다.

# 29. Leg Pull Front (Down)

전거근을 활성화시켜 견갑골을 강화시키고 골반의 안정성을 높여준다.

1) 어깨 아래 손을 놓고 두 다리를 모아 뒤로 뻗어
   플랭크 자세를 만든다.

2) 한 발을 들고 발등을 길게 뻗어 준다.

EXHALE

3) 바닥을 지지하고 있는 발뒤꿈치를 뒤로 밀어
   무게중심을 이동시킨다.

4) 몸 전체 무게 중심을 머리 정수리 방향으로
   앞으로 밀어 준다.

EXHALE

5) 다리를 내리고 반대쪽도 동일하게 실시한다. (3회)

Point

• 몸 전체가 바닥과 평행하게 중립 상태를 유지한다.

• 손바닥으로 바닥을 밀어내 어깨 안정화를 유지한다.

# 30. Leg Pull Back (Up)

두 다리를 하나씩 들어 올리는 동작으로 몸통과 골반의 안정성을 유지하고 견갑골을 안정화시켜 등 주변 근육을 강화시킨다.

1) 두 다리를 길게 뻗어 매트에 앉아 뒤로 기대어
   엉덩이에서 한 뼘 정도 뒤에 손을 대고
   등을 곧게 펴준다.

2) 엉덩이를 매트에서 들어 올리며
   머리부터 발등까지 길게 뻗어 준다.

EXHALE

3) 한 다리를 천장으로
길게 뻗어 올린다.

4) 뻗은 다리를 내려 놓고 반대쪽도 실시한다.
(3회)

Point

- 허리가 꺾이지 않도록 둔근에 힘을 지속적으로 사용한다.
- 무릎이 외회전 되지 않게 무릎 방향이 정면을 바라보고 발등도 길게 뻗어 준다.
- 상체에 너무 기대어 손목이나 팔꿈치에 체중이 너무 실리지 않게 중립 상태를 유지한다.

# 31. Kneeling Side Kicks

측면으로 기울인 상태에서의 움직임으로 몸통 안정화와 고관절 외전근
다리의 가동성을 높여준다.

1) 무릎을 매트에 대고 팔을 양옆으로
   길게 뻗고 정면을 바라본다.

EXHALE

2) 오른쪽 다리를 골반 높이로 들어 주며 왼쪽으로 기울여
   한 손은 바닥 반대 손은 머리 옆에 놓는다.

3) 골반 높이를 유지하며 다리를 앞으로 길게 뻗어 준다.

EXHALE

4) 다리를 높게 유지하며 뒤쪽으로 뻗어 준다.
　(3회 / 반대쪽 실시)

 Point

- 손으로 바닥을 밀어 내는 힘으로 어깨 안정화를 유지한다.
- 다리 높이는 일정하게 유지한다.
- 2번씩 킥을 추가할 수도 있다.
- 둔근의 힘을 지속적으로 사용한다.

# 32. Side Bend

측면의 움직임으로 몸통 측면을 스트레칭 시켜주며 몸통안정화를 시켜
강화시켜 준다.

1) 옆으로 앉아 위쪽 다리를 앞으로 꼬아
   두 발을 일직선으로 놓고 어깨 아래
   손으로 바닥을 짚는다.
   다른 손은 다리 위쪽에
   올려놓고 바라본다.

EXHALE

2) 상체를 옆으로 들어 올려 길게 뻗어 준다.
   시선은 정면을 바라본다.

Point

- 몸통측면 근육을 최대한 늘려준다.
- 상체가 무너지지 않도록 바닥을 계속 밀어 내며 어깨를 안정화시켜 준다.
- 손목의 힘이 약하다면 팔꿈치를 대고 한다.

3) 위쪽 팔을 다리 방향으로 내리며
   반대쪽 옆구리를 길게 늘려 준다.
   이때 엉덩이가 바닥에 닿지는 않는다.

EXHALE

4) 상체를 들어 올려 반대쪽 몸통을 한 번 더 스트레칭 시켜 준다.

5) 무릎을 접으며 바닥으로 내려오며 시작자세로 돌아온다.
   (3회 후 반대쪽도 실시한다.)

# 33. Boomerang

부메랑은 매트에서 가장 길고 6가지 원리를 가장 정확하게 표현할 수 있는
동작이다. 움직임마다 정확한 위치에서 내 몸을 컨트롤 할 수 있도록 한다.

1) 매트 앞쪽에 앉아 손으로 바닥을 짚고
　한다리를 위로 꼬아 모아서 길게 뻗어 준다.
　척추는 골반 위에 중립를 유지한다.

EXHALE

2) 두 다리를 복부 힘으로 들어 올려
　골반부터 뒤로 구른다.
　다리가 바닥과 평행 상태로 만들어 준다.

 Point

- 연속적인 움직임으로 컨트롤 한다.

- 롤 다운 할 때 고관절이 접히지 않도록 주의한다

- 다리 무게로 이동하지 않고 복부 힘을 계속 쓴다.

3) 두 팔로 매트를 누르며 상체를 더 길게 늘려 주고
   마시고 내쉬며 다리를 교차시켜
   두 발의 위치를 바꾼다.

EXHALE

4) 등부터 천천히 내려오며 상체를 앞으로 들어 올려
   티저 자세를 만든다.

5) 상체를 앞으로 굴곡 시키면서 두 팔을
   등 뒤로 뻗어 올려 준다.
   (3회)

# 34. Seal

바다표범이 박수 치는 모양을 보고 만든 동작이다.
척추의 유연성을 만들어 주고 몸의 균형감각을 길러 준다.

1) 매트에 앉아 무릎을 열고 뒤꿈치는 붙여 손으로 발목을 잡아 준다.
   중심을 잡고 발을 매트에서 띄우고 상체를 굴곡시켜 척추 C커브를 만든다.

Point

- 다리와 몸통 간격을 일정하게 유지한다.
- 박수치는 움직임을 빼고 먼저 앞, 뒤로만 움직여 본다.
- 일정한 호흡 패턴으로 부드럽게 움직인다.
- 중앙선으로 움직일 수 있도록 한다.

2) 골반부터 무게중심을 뒤로 이동해 롤링 하고
   발뒤꿈치로 3번 박수 친다.

EXHALE

3) 척추를 순차적으로 내려놓으며 앞으로 굴러 시작 자세로 돌아오며 3번 박수 친다.
   (6회)

# 35. Crab

다리를 벌리는 모습이 꽃게와 같다.

복부의 힘을 컨트롤 하며 고관절의 가동성을 향상시켜 준다.

1) 두 다리, 발목을 교차시켜 발끝을 잡고 상체를 앞으로 숙여 머리 정수리를 매트에 놓는다.

EXHALE

2) 복부의 힘으로 상체를 들어 올려
   무게 중심을 뒤로 보내 구른다.

Point

- 고관절이 접히지 않게 한다.
- 롤링 할 때 다리와 몸통 간격이 일정한 상태를 유지
- 머리 정수리를 매트에 누르지 않고 복부 힘으로 C커브를 만들어 살짝
  지지 한다.

3) 구른 상태를 유지한 채 다리를 열어
   반대로 교차시킨다.

4) 발을 잡고 복부 힘으로 다리 방향으로 무게중심을 이동시키며 앞으로 구른다.
   시작자세로 돌아간다.

# 36. Rocking

상체의 유연성과 척추 기립근을 강화시키고 고관절 신전근을 활성화시켜 준다. 몸을 활처럼 만든다.

1) 매트에 엎드려 팔다리를 양방향으로 길게 뻗어주고
   척추 골반은 중립상태를 만든다.

Point

- 흉추에서의 신전을 만들고 허리 꺾임에 주의한다.
- 어깨가 뒤집히지 않도록 견갑안정화를 한다.
- 앞뒤로 움직일 때 목이 움직이지 않고 가슴과 허벅지를 들어올려 롤링
  한다.

## EXHALE

2) 무릎을 접고 가슴을 열어 상체를 들어 올린다.
   팔을 뒤로 보내 발을 잡는다.

## IN-EXHALE

3) 몸을 최대한 활처럼 만들고 일정한
   호흡을 유지하며 앞뒤로 움직인다.

# 37. Balance Control

상체와 하체의 연결성과 조절력을 향상시킨다.
두 다리를 교차하는 동안 몸통의 안정성을 높여주고 집중력을 강화시킨다.

1) 매트에 앉아 두 다리를 길게 뻗고
   척추를 세우고 손으로 매트를 짚는다.

EXHALE

2) 손으로 바닥을 지지하며 복부 힘으로
   두 다리를 들어 머리 뒤로 넘겨 준다.

3) 팔을 바깥쪽으로 원을 그리며 머리 위로 뻗어
   발목을 동시에 잡아준다.

EXHALE

4) 두 손으로 오른발목을 잡고 왼다리를
   천장으로 길게 뻗는다.
   반대다리도 동일하게 실시하고
   팔로 원을 그리며 아래 방향으로 놓고
   천천히 롤 다운으로 내려와 매트에 눕는다.
   (3회)

 Point

- 체중이 경추에 실리지 않도록 주의한다
- 중력에 상체가 주저 앉지 않는다.
- 몸을 최대한 뒤로 길게 뻗어 낸다.
- 다리 교차시 골반 안정성에 집중한다.

## 38. Push Ups

필라테스 매트운동의 마지막 동작으로 척추의 정렬을 인지하고 전신을
단련시킨다.
전신의 강한 근력과 집중을 필요로 한다.


1) 두손을 어깨 너비로 매트에 대고 두 다리는 모아 뒤로 길게 뻗는다.
   머리부터 뒤꿈치까지 일직선을 만든다.

## EXHALE

2) 팔꿈치를 구부려 바닥과 몸이 가까워지고 내쉬며
   바닥을 밀어내며 제자리로 돌아온다.
   (3회)

 Point

- 경추와 척추의 중립상태를 유지한다.

- 뒤꿈치는 발가락과 수직 상태이고 몸은 바닥과 평행 상태이다.

- 허리가 꺾이거나 어깨가 불안정하다면 무릎을 바닥에 대고 실시한다.

- 스탠딩에서의 롤 다운자세에서 연결할 수 있다.

"In 10 sessions you'll feel the difference,
in 20 sessions you'll see the difference,
and in 30 sessions you'll have a whole new body."

"10번 필라테스를 하고 나면 느낌이 다르고,
20번 필라테스를 하고 나면 눈에 보이는 것이 다르고,
그리고 필라테스를 30번 하고 나면 완전히 새로운 몸을 가질 수 있을 것이다."

Joseph H. Pilates

## thanks

"100세까지 88하게"

통증 없이 바른 자세로 백 세까지 팔팔하게 살고 싶다!

나는 어린 시절부터 운동선수로 중고등학교와 대학교까지 선수 생활을 해왔다. 모든 운동 사회에서는 경쟁이 되어야 했고 그 경쟁에서 살아남기 위해 강한 신체, 강한 정신력을 만들어야 했다. 신체가 자라는 과정에서부터 올바른 움직임이 아닌 한쪽으로 틀어지거나 특정 근육을 과하게 사용해서 하는 움직임을 수없이 반복하며 목과 무릎 통증에 시달려야 했다. 그렇기에 올바른 움직임으로 바른 자세를 유지할 수 있게 해주는 재활 운동을 시작하였다. 이것이 내가 필라테스를 시작하게 된 계기가 되었다.

필라테스 운동시스템은 특정 근육을 만들기보다는 깊은 호흡과 함께 깊은 내부 근육을 단단히 만들고 강한 코어를 만들어 신체를 안정시켜 주며 효율적으로 움직임을 할 수 있도록 도와주었다. 효율적이고 안정된 움직임은 내 몸을 편안하게 했을 뿐만 아니라 내 삶에 많은 변화를 주었다.

대학 졸업 후 운동선수 생활을 그만두면서 특정 선수만이 아닌 모든 사람들도 통증에서 벗어나는 삶을 알려 주고 싶었다. 정해진 순서와 동작을 따라 하기만 해도 몸이 변화되는 걸 알 수 있다. 여기에 개개인의 개별성과 특수성 등을 좀 더 고려한다면 더 좋은 시너지를 낼 수 있을 거라 확신했다.

유명한 협회 선생님들의 교육과 워크샵 등을 수없이 따라다녔다. 아직도 나는 진행 중이고 앞으로 더 성장하려고 노력한다.

가장 좋았던 수업이 무엇일까 생각해 보면 변함이 없는 가장 정통적인 수업이 제일 좋았다. 필라테스의 정해진 훈련시스템은 내 몸은 강하게 만들어

주었다. 한 번, 열 번, 백 번의 필라테스는 신체적으로 정신적으로 나를 건강하게 만들었다. 정확한 움직임과 근육들을 사용해 동작을 완성해 내다보면 내 몸의 변화를 정확하게 알 수 있다.

필라테스의 시스템은 매우 과학적이다.

그 시대 이 메소드를 만들 때 얼마나 많은 시도와 노력을 했는지 감히 짐작할 수 있다. 생각하고 정확하게 움직임을 해야 비로소 효과를 얻을 수 있다. 사람마다 몸의 컨디션에 따라 시작이 다르기 때문에 모두가 같을 수는 없다. 그러나 가고자 하는 움직임의 방향은 정확하게 가야 한다.

필라테스는 같은 동작을 누구나 그 사람에게 맞춰 쉽게 또는 어렵게 다양한 사람들이 다양하게 효과를 가질 수 있다.

시대가 발전함에 따라 기구도 다양해지고 생각과 동작도 다양해지고 있지만 재활이라는 말속에 너무 많은 프렙들과 검증되지 않은 새로운 동작들로 필라테스에서 점점 멀어져 가고 있지는 않은지 생각해 봐야 한다.

정확한 원리를 이해하고 정확하게 조절하고 움직이며 많은 사람들이 필라테스의 효과적인 시스템을 경험하기를 바란다.


필라테스는 반복된 훈련만을 통해 내 몸을 컨트롤 하고 삶의 편안함과 즐거움을 찾을 수 있다.

신체적, 정신적인 편안함이 삶의 행복을 만들 수 있다.


오늘도 나는 움직인다.

**Pilates starter** (MAT)

**초판 1쇄 인쇄** 2024년 5월 2일
**초판 1쇄 발행** 2024년 5월 7일

**지은이** 오수진
**펴낸이** 김재광
**펴낸곳** 솔과학
**편 집** 다락방
**영 업** 최희선
**디자인** miro1970@hatmail.com
**등 록** 제02-140호 1997년 9월 22일
**주 소** 서울특별시 마포구 독막로 295번지 302호(염리동 삼부골든타워)
**전 화** 02)714-8655
**팩 스** 02)711-4656
**E-mail** solkwahak@hanmail.net

ISBN 979-11-92404-77-6 93690

—